Amor,
sexo y astrología

C. Bertrand

Amor,
sexo y astrología

De Vecchi

Traducción de Cristina Sala.

Ilustraciones del interior de Benedetta Bini.

Diseño gráfico de la cubierta: © YES.

Fotografías de la cubierta: © DX/Fotolia.com.

© Editorial De Vecchi, S. A. U. 2009
Balmes, 114 - 08008 Barcelona
Depósito Legal: B. 25.987-2009
ISBN: 978-84-315-4072-2

Editorial De Vecchi, S. A. de C. V.
Nogal, 16 Col. Sta. María Ribera
06400 Delegación Cuauhtémoc
México

ÍNDICE

INTRODUCCIÓN

*El amor, esa mágica emoción, parece ser el motor principal de la
creatividad humana. Los artistas lo celebran constantemente en poesías,
novelas, canciones, obras teatrales y cinematográficas. Los psicólogos se
han aproximado también al tema, interpretando y analizando las diferentes
fases, que van desde la euforia del flechazo hasta la tranquila calma del
amor inalterable. A su vez, los científicos investigan el mecanismo secreto
de las células cerebrales, como si fuera posible reducir el amor a una simple
reacción química.*

*Este libro no tiene por objeto profundizar en los misterios de este
sentimiento o prodigar consejos a quienes sufren por exceso
o falta de amor; simplemente propone una clave de interpretación diferente
a partir de las características de los doce signos astrológicos.*

*Cada signo del zodiaco posee su propia psicología y, en consecuencia, una
forma individual y peculiar de aproximarse al amor reflejando sus propias
aspiraciones. Esta obra le ofrece una explicación de las características de
cada signo y de su posible armonización con los demás.*

*Observará, a lo largo de las siguientes páginas, que es muy raro encontrar
un tipo zodiacal «puro» en el que el signo solar prevalezca de manera
exclusiva en el horóscopo individual; por el contrario, resulta mucho más
probable que el ascendente, la Luna, o la presencia de Venus o de Marte en
otros signos influyan sobre las tendencias y modifiquen algunas de las
características del perfil.*

*Además, la posición de la Luna tiene una importancia especial porque, más
allá de su repercusión directa sobre el carácter, determina a la vez la
feminidad de la mujer y la imagen ideal de esta, tal como la concibe el
hombre.*

*Por este motivo se han incluido, además de los perfiles de las parejas, unas
breves descripciones de las combinaciones del Sol y de la Luna de cada*

signo, y unas tablas, situadas al final de la obra, que permitirán a cada uno calcular su propio signo lunar.

Naturalmente, para obtener una evaluación exhaustiva de la pareja, sería conveniente estudiar minuciosamente el conjunto de la carta astral. Pero las descripciones siguientes, aunque de manera resumida, podrán ayudar a descubrir algo nuevo tanto sobre la persona amada como sobre uno mismo.

EL AMOR
PARA CADA SIGNO

ARIES
Y EL AMOR

Características de Aries

Periodo: del 21 de marzo al 20 de abril
Elemento: Fuego
Cualidad: cardinal, masculino
Planeta: Marte
Longitud zodiacal: de 0° a 30°
Casa zodiacal: primera
Color: rojo
Día: martes
Piedra: rubí
Metal: hierro
Flor: geranio
Planta: romero
Perfume: madreselva

ELLA

Muestra una feminidad apasionada y emprendedora, y no tiene ningún escrúpulo en tomar la iniciativa. Exuberante, dinámica, audaz, poco caprichosa y amanerada, hay algo masculino en su deseo de competir y en su manera de seducir. Cuando está enamorada, da lo mejor de sí misma: alegre, activa, se implica y sabe revitalizar el universo de sus allegados con su calor y su pasión vital. Pero como es impulsiva, su entusiasmo no suele durar dema-siado; evita mantener una relación y corta inmediatamente los lazos si percibe que la historia no va por buen camino. No acepta casi nunca ser maltratada o descuidada, detesta los llantos y las lamentaciones, y deja atrás muy rápidamente las desi-lusiones que experimenta. Por tanto, es probable que acumule numerosas relaciones antes de realizar la elec-ción definitiva, en cuyo caso su compañero puede contar con una mujer activa, enérgica y generosa. Pero ella no aceptará jamás estar en segundo plano, porque está íntimamente convencida de tener siempre razón y elige el rumbo de la relación con gran desenvoltura. No soporta a un compañero autoritario que merme su espíritu emprendedor, mientras que un hombre capaz de aceptar su dominio saldrá bastante beneficiado. Generalmente es fiel, pues se ve impulsada por sentimientos unívocos y no se siente a gusto con la clandestinidad. No obstante, como es muy instintiva, las aventuras ocasionales no pueden descartarse y siempre encontrará una explicación honesta para estas. Si es traicionada, monta en cólera porque se siente profundamente herida en su orgullo.

ÉL

Se trata de la imagen misma de la virilidad, del macho convencido y orgulloso de serlo. Lleva en sí el gen de la conquista, un arte que ejerce a menudo y de buena gana. Se dirige a sus «objetivos» con gran seguridad y no imagina siquiera la eventualidad de un rechazo; si las cosas van mal, lo olvida de inmediato. Está muy orgulloso de su éxito entre las mujeres y acumula numerosas aventuras, lo que no lo convierte en un campeón de la constancia: se apasiona con la misma facilidad con la que decae después su interés. Una vez que ha realizado una elección estable, se consagra a ella con gran entusiasmo, pero a cambio pide una devoción exclusiva. Cándidamente egocéntrico, no admite encontrarse en un segundo plano, frente a nada ni a nadie, y se impone de manera

natural sobre su pareja, sin pretender disfrazar su «asunción del mando»: la amada queda simplemente sometida como un potro recién domado tras realizar unas pocas acciones. No obstante, sabe recompensarla con gran generosidad: apasionado, se entrega sin medida; es valiente, protector e innovador, pero, desprovisto de todo romanticismo, también es brusco, expeditivo, impaciente y poco inclinado a escuchar. Necesita una mujer dócil y conciliadora pero no pasiva: quiere sentirse orgulloso de su mujer, de lo contrario se harta rápidamente de ella. Celoso, no admite transgresiones en la relación y puede reaccionar de manera violenta si se diera el caso. No obstante, su moral es muy elástica en lo que le concierne y, por este motivo, incluso a edad avanzada, cederá frente a algunas extravagancias que confirmen que no ha perdido su carácter.

CORAZÓN, UNIÓN, RUPTURA

Tanto si son hombres como mujeres, los Aries muestran un corazón seductor y muy poco complicado. Si él (o ella) lleva la iniciativa, lo que casi siempre se da por descontado, se dará cuenta de ello sin ninguna duda, y bastará decirle que sí para que todo se solucione. Pero si tiene dudas, decídase rápidamente porque los Aries detestan esperar, y la idea de que su clara proposición no suscite inmediatamente el entusiasmo podría hacer desaparecer su interés. Pero no ceda inmediatamente como un cordero, porque entonces el Aries perdería el placer de la conquista. Si, por el contrario, es usted quien desea ocupar el rol de seductor, intente hacerse notar antes que dejarse conquistar, porque tanto él como ella prefieren el papel de cazador antes que el de presa.

Para transformar enseguida la chispa en una verdadera llama, convendrá demostrarle su admiración y su deseo de aceptar su voluntad. Él se siente muy gratificado por un comportamiento dulce y sumiso, y ella, por su parte, aprecia que le pida consejo y apoyo, como si usted no supiese dirigir su vida. Algo de ingenuidad (sobre todo si usted es mujer y pretende conquistar a un Aries) le facilitará la tarea. Una vez establecida la relación, para hacer que dure, es necesario mantener el intenso ritmo de un vehemente compañero: con ella, no hay que ser ni previsible ni aburrido, sino mantener el entusiasmo mediante hallazgos permanentes; es imprescindible concederle autonomía total, pero sin llegar a mostrar una cómoda pasividad. Con él quizás es más fácil vivir, y si llega a compartir sus intereses y sus iniciativas, tanto mejor; si no, bastará con dejarle su espacio de libertad y no obstinarse si no le presta el interés que considera que merece. En resumen, la suave adaptación, la pacien-cia y la diplomacia constituyen dones indispensables que permitirán una buena convivencia. A pesar de todo, las disputas y las escenas no son algo raro y se deben al temperamento impulsivo de Aries; no obstante, la mayor parte de las veces la reconciliación no es difícil, y sus enfados no duran mucho. También es importante apoyarlo en sus afanes, moderando algunos de sus excesos con sentido común acompañado de ternura y reconfortarlo en caso de fracaso o desilusiones. En la pareja, la mujer Aries se ocupa de todo con mucha energía, pero pide a su compañero desempeñar su papel con la misma firmeza; por su parte, el hombre reparte los derechos y los deberes con una autoridad brutal, como un «jefe» algo machista.

¿Y si algo no funciona y desea acabar con la relación? Si tiene valor suficiente, puede anunciarlo abiertamente, pero prepárese para una reacción violenta.

Intente desilusionarlo de forma metódica: exprese admiración por otro, evite seguir sus iniciativas mediante diferentes pretextos y desgaste su autoridad subrayando sus errores. Muy pronto, pensará que se ha equivocado y que ha llegado el momento de romper. En suma, consiga que sea él quien le abandone.

RELACIÓN
CON LOS OTROS SIGNOS

ARIES – ARIES

Cuando sucede, es el clásico flechazo: una llamarada que invade de inmediato cuerpo y alma de ambos enamorados como un relámpago. El amor surge de manera instintiva y se declara inmediatamente, sin intermediarios. Él es el clásico seductor que enseguida entra en acción, mientras que ella se lanza de cabeza si supone que él no va a dar el primer paso. Ninguno de los dos está dispuesto a dejar escapar la oportunidad: el deseo es demasiado intenso y siempre habrá tiempo para ver si realmente funciona (lo que, naturalmente, no provoca ninguna duda en ellos). Se trata de una pareja que quema las etapas y vive plenamente cada instante y cada emoción; el aburrimiento queda desterrado en este tipo de relación apasionada, llena de sorpresas y reencuentros, pero siempre en el filo de la navaja. Se trata de una pareja que se abandona y se reconcilia centenares de veces con grandes aspavientos. Es casi imposible que pasen desapercibidos, tanto si quieren como si no, pues amigos, parientes y vecinos se ven implicados en los altibajos de este idilio. Ambos son impulsivos y tienden a lo esencial, quieren dominar y, por desgracia, carecen de tolerancia y comprensión, lo que motiva frecuentes y animados litigios, verdaderas batallas que tienen como objetivo someter al otro a su propia voluntad. Para reconciliarse no hay nada mejor que dar rienda suelta a la pasión. Esto se convierte finalmente en una rutina extenuante que, a largo plazo, consigue desgastar ambos temperamentos, por exuberantes que sean. Si uno de los dos no acepta ceder, como mínimo parcialmente, pueden continuar en permanente tensión hasta que una discusión más intensa que las otras los separe definitivamente, o hasta que él (o ella) se eche en otros brazos. No obstante, la amistad y el cariño no tienen por qué finalizar al mismo tiempo que el amor y, una vez que la cólera se desvanece y la pasión se extingue, pueden experimentar todavía el placer del reencuentro y compartir alguna aventura. ¡Pero cuidado, todo podría comenzar de nuevo!

ARIES – TAURO

La atracción sexual es probablemente el aspecto en que coincidirán ambos. Tauro, notorio sibarita, se dejará seducir por el vigor apasionado de Aries; a su vez, este se inflamará rápidamente por la incontestable sensualidad de aquel. Pero pronto se estancará la relación, porque los intensos celos de Tauro toleran mal la independencia de la pareja, especialmente si este es hombre y la mujer, Aries. Además, es ella quien dispara el resorte de la pasión, y él, halagado, el que se deja conquistar. El erotismo es sin duda su punto en común, que se transforma en válvula de escape cuando la pareja comienza a sufrir los inevitables desacuerdos. En efecto, la emprendedora mujer Aries hace generalmente lo que le parece, y aunque a veces puede satisfacer a su perezoso compañero, el instinto de posesión de este último le lleva a sospechar lo peor cada vez que ella reivindica su libertad y a dedicarse a sus asuntos personales. Ella, a su vez, no puede tolerar un compañero que coarte su libertad. La unión es claramente mejor en el caso de que la mujer sea Tauro y el hombre, Aries: baste recordar que Tauro es un signo femenino dominado por Venus, y Aries, uno masculino dominado por Marte; son unas fuerzas opuestas, pero sin embargo complementarias, que pueden dar espléndidos resultados si se unen correctamente. Ella es recta y parsimoniosa, él precipitado e impetuoso pero, a fin de cuentas, ella consigue dominarlo ofreciéndole el afecto y el apoyo que necesita. Los reconfortantes abrazos de esta mujer anclada en la realidad son ideales para acoger al «guerrero fatigado» cuando regresa de sus aventuras (¡pero es mejor no abusar de su paciencia!). A Tauro no le gustan los conflictos y, en la medida de lo posible, intenta vivir tranquilamente y sin sorpresas, lo que no siempre es posible con Aries; por su parte, ella nunca podrá

aceptar las eventuales salidas de tono y haría bien en buscar otra manera de fortalecer su amor propio.

ARIES – GÉMINIS

A primera vista, la simpatía surge fácilmente y la relación es estimulante y agradable mientras se mantenga dentro de los límites de la amistad o, como mucho, de una aventura pasajera. Los problemas comienzan cuando la relación se hace más seria y cada uno toma conciencia de la dificultad que representa convivir con los defectos del otro. Aries tiende a imponerse por la fuerza, pero es ingenuo, mientras que Géminis, más frágil en apariencia, es indudablemente más astuto y posee un espíritu crítico y una ironía que hieren la susceptibilidad de Aries.

Así, este último encuentra su primer desengaño; espiritual e irreverente, Géminis se burla de todo y de todos y hace gala de un humor sarcástico, mientras que Aries se irrita profundamente si no se le toma en serio. Tarde o temprano, este último se cansará y decidirá pasar a la acción en uno de sus memorables enfados, que harán callar al impertinente durante algún tiempo. Pero la relación no puede continuar de este modo... Géminis deberá recurrir a su capacidad de adaptación y a su inteligencia para acomodarse al febril ritmo de su pareja y encauzar sus excesos sin ofenderlo; Aries aprenderá a refinar su táctica si no quiere dejar escapar definitivamente al escurridizo mercuriano. A esto hay que añadir que la pasión de Aries no encuentra demasiado eco en el distante Géminis, que acabará pareciéndole algo cínico. De este modo, llegan a divertirse juntos, quizá porque ambos son algo inconscientes: aunque su relación no es apacible, puede ser duradera. Resulta más prometedora la pareja formada por la mujer Aries y el hombre Géminis: novedades y sorpresas alejan el aburrimiento, lo que es esencial; además, ella es lo bastante generosa para darle seguridad con gran entusiasmo cuando percibe que él está estresado o nervioso. La combinación contraria es menos evidente: la mujer Géminis huye de la autoridad de su ardiente compañero, a quien pone en cuestión constantemente para «desarmarlo».

ARIES – CÁNCER
Existe una cierta incompatibilidad entre ambos signos y para ello basta pensar en sus símbolos respectivos: Aries igual a Fuego, regido por Marte; Cáncer igual a agua, regido por la Luna. El tópico más corriente dice que el Agua apaga el fuego y que los planetas que gobiernan estos signos son antitéticos: la Luna representa las energías femeninas, emotivas y sentimentales; mientras que Marte simboliza las energías masculinas, físicas y agresivas. A primera vista, no existe una intensa atracción entre ambos, y el hombre Cáncer, tímido y conservador, no ve de buena gana la dominación de la mujer

Aries, tan alejada de la imagen femenina tradicional, demasiado autónoma y activa para quererlo y cuidarlo como él desearía. No obstante, si consiguen establecer una relación, es probable que él se deje llevar por la firmeza de su emprendedora compañera y llegue a las puertas del matrimonio sin haberse dado cuenta, pero es necesario que sepa que también sufrirá esta dominación en su propio hogar. Por el contrario, la mujer Cáncer puede sentirse atraída por la exuberante masculinidad de Aries, por sus demostraciones de fuerza y valor, puesto que es una soñadora nata que imagina que ha encontrado al noble y valiente caballero que la protegerá siempre. Sin embargo, rápidamente se dará cuenta de que su ardiente pareja ignora totalmente el romanticismo, carece de ternura, es incapaz de comprender sus angustias o pesares, sus delicados estados de ánimo, y se irrita profundamente por sus rápidos cambios de humor, a los cuales considera meros caprichos. Aunque frustrada, su gran sentido maternal puede prevalecer y empujarla a querer a este hombre fuerte y brusco, y perdonarle sus excesos y su falta de sensibilidad. En este caso, la relación puede arraigar, porque Aries sabrá apreciar esta complicidad afectuosa y recompensará generosamente a quien se la ofrece: con el tiempo, no le negará nada e incluso se sentirá culpable si, con su llanto, ella le hace saber que él es la causa de su tormento.

ARIES – LEO

En esta pareja de Fuego, la atracción es casi inmediata y fulgurante: se trata de la pasión a primera vista, la exaltación de los sentidos, la erupción volcánica con efectos fulminantes y prolongados. Cuando Aries, siempre en busca de una conquista que valga realmente la pena, encuentra un Leo, ve cumplidas sus expectativas, porque se trata de una personalidad difícil, que potencia el esfuerzo invertido en la seducción. Sin embargo, el ardor y el orgullo de Leo no permitirán jamás considerar la relación como una conquista, incluso después de muchos años de intimidad; Aries deberá rivalizar consigo mismo para mostrarse digno del amor de un personaje tan orgulloso y magnánimo como Leo, y evitar la apatía. Por su parte, Leo recompensará a su compañero con munificencia, haciéndole saborear la plenitud de la vida y la alegría de las grandes sorpresas. Ambos viven sus sentimientos con la misma intensidad y el mismo entusiasmo, pero también con una idéntica ausencia de matices; en este contexto, el amor con mayúsculas brilla con luz propia, se expresa generosamente y excluye dudas y tormentos, además de cualquier pequeña mezquindad. En el aspecto sexual, se puede considerar que el acuerdo es perfecto: los mismos impulsos y vitalidad apasionada. ¿Demasiado hermoso para ser cierto? Honestamente, si tuviera que surgir algún problema, cabrá imputarlo al carácter dominante de alguno de los dos miembros de la pareja: ambos pretenden conservar el bastón de mando y resulta evidente que es difícil compartir este privilegio de manera armoniosa. Por este motivo pueden surgir en la pareja encendidas discusiones; no obstante, las consecuencias raramente son serias e incluso tienen un aspecto benéfico al permitir liberar la común exuberancia. A corto plazo, es más fácil que Aries gane gracias a sus cualidades de esprínter, pero Leo es un corredor de fondo y exige que nunca se le falte al respeto. Los otros puntos débiles de esta relación son la exageración y la ausencia de sentido crítico, que pueden generar errores, incluso aunque se cometan de «común acuerdo».

ARIES – VIRGO

He aquí dos miembros del zodiaco que tienen poco en común. Impulsivo y exuberante, Aries afronta impetuosamente los asuntos más inciertos, mientras que Virgo, temeroso frente a lo desconocido, no se arriesga si no está seguro del resultado. Con estas premisas, resulta evidente que subsiste una desconfianza recíproca. Virgo, tanto si se trata de un hombre como de una mujer, desaprueba abiertamente las improvisaciones de Aries y sus demostraciones de fuerza le dejan indiferente. Por su parte, Aries no se siente atraído por la prudente delicadeza del otro y observa con suspicacia su falta de entusiasmo, su perfeccionismo casi patológico, por no hablar de su implacable sentido crítico. Incluso en el modo de experimentar los sentimientos, no existe gran afinidad; la audaz pasión de

Aries se frustra frente a las reticencias de Virgo, que, antes de amar, analiza al sujeto sin cesar y vive la sexualidad de una manera cerebral; Virgo, a su vez, se siente muy ofendido por las expeditivas maneras de Aries, que va a lo esencial sin dar demasiadas explicaciones. Una pareja como esta no resulta demasiado frecuente pero, gracias a la complicidad de otros planetas, puede llegar a formarse y dar lugar a una relación estable entre ambos signos, ya que tienen mucho que aprender uno de otro: Aries podría moderar progresivamente su temeridad, acostumbrarse a frenar y reflexionar tranquilamente antes de lanzarse a nuevas iniciativas; Virgo podría dejar de preverlo todo, además de aprender a dejarse ir y a confiar en las brillantes intuiciones de su compañero para afrontar lo imprevisto. Aries constituye la fuerza motriz de la relación, transmite a su compañero beneficiosas dosis de amor propio que le ayudan a superar sus complejos y dan a la pareja el impulso necesario para superar los periodos de crisis gracias a su optimismo; Virgo organiza la vida doméstica hasta el mínimo detalle y vela porque todo funcione a la perfección, para que nada falte para su felicidad.

ARIES – LIBRA

Entre estos dos signos situados en los extremos del zodiaco existe siempre una intensa atracción. Aries, exaltado y ardiente, da fácilmente en el blanco en el imaginario romántico de Libra, especialmente en el caso de un hombre Aries, porque ella se siente protegida por esta presencia masculina, tan fuerte y valiente, y cede fácilmente a los audaces avances de este hombre, que le crean la sensación de ser la mujer más deseada del mundo. Por su parte, el hombre Aries se ve seducido por el refinamiento natural de Libra, halagado por su deseo de complacerlo y satisfecho por su aparente sumisión. Pero no faltan las notas discordantes que estropean la armonía: la brutal vehemencia de Aries puede desorientar a Libra, una mujer bastante formal a la que no le gusta que la traten con franca camaradería y que sufre por la carencia de las atenciones galantes de Aries. El impetuoso dinamismo de su compañero puede resultar desagradable a la perezosa Libra, que no soporta los ritmos demasiado intensos, a pesar de que su sentido de la diplomacia la empuje a limar asperezas y a adaptarse a los bruscos impulsos de Aries. La unión puede tener éxito a condición de que él esté dispuesto a contenerse, inspirándose en el valioso ejemplo de moderación que le ofrece su compañera. En el caso inverso, una mujer Aries y un hombre Libra, el acuerdo, que a primera vista parece improbable, resulta más sólido cuando afronta los hechos; él deberá superar una cierta aversión por este tipo femenino de comportamiento, tan elegante y atrevido, pero ella logrará fundir el hielo gracias a su calurosa vitalidad y sabrá encauzarlo en la dirección deseada en poco tiempo. Al final, él no tendrá ningún motivo de queja y, una vez que haya aprendido a confiar en su volcánica compañera, le cederá con gusto la dirección del hogar, evitando de este modo una serie de desagradables decisiones que, si le correspondieran a él, serían desatendidas sistemáticamente.

ARIES – ESCORPIO

Dominados ambos por el belicoso Marte, estos signos comparten un temperamento combativo, así como el gusto por el riesgo y las emociones intensas; el amor entre los nacidos bajo estos signos se caracteriza por los sentimientos fuertes, por no decir violentos. En general, el magnético encanto de Escorpio enciende la mecha de la pasión en el impetuoso corazón de Aries, quien, fiel a su estilo, se lanza de cabeza a la conquista sin reflexionar. Es difícil entonces que Escorpio, al sentirse halagado, reaccione negativamente: si todo fuese mal, añadiría otro corazón roto a su lista de trofeos; en caso contrario, recogería las redes y atraería a Aries hacia él para producir una relación posesiva y algo atormentada.

Para Aries, el peligro reside aquí, porque el más vulnerable de los dos es precisamente aquel o aquella que, aunque haga mucho ruido, sólo es un ingenuo seducido fácilmente por las intrigas de Escorpio. Aries tiene una visión solar de la vida, se bate a cara descubierta pero no sabe ver las complicaciones, y se encuentra de este modo inerme frente a las astutas tácticas de su compañero, por lo que, con frecuencia, resulta herido por sus implacables comentarios. El

componente erótico prevalece en esta relación ofreciendo indudables emociones; también en este campo Escorpio es un verdadero especialista que alimenta el deseo de su compañero manteniéndolo en la cuerda floja e imponiéndole sus preferencias, en un juego a la vez provocador e inquietante. Pero los rasgos masoquistas, que convierten a otros signos del zodiaco en esclavos complacientes del amor, están ausentes en Aries, que, tarde o temprano, acaba por no soportar las permanentes estocadas dirigidas a su amor propio, los asfixiantes celos de su «media naranja» y la atmósfera mágica «pero a la vez turbia» que flota siempre en torno a Escorpio. En resumen, es bastante raro que una relación de este tipo dure, y resulta indispensable la complicidad de otros factores de compatibilidad astral.

ARIES – SAGITARIO

He aquí una pareja que tiene muchas posibilidades de éxito. Una generosa dosis de entusiasmo fundamenta esta relación nutrida con ideales y mil y una iniciativas. Ambos comparten un optimismo ingenuo y una confianza eufórica en sí mismos y en la vida que les impulsan a afrontar cada iniciativa como una maravillosa aventura y que, no hace falta decirlo, les permite no aburrirse jamás. La atracción nace espontáneamente y se expresa de manera inmediata, sin formalidades: ambos son impetuosos y directos, se declaran rápidamente y se lanzan uno en los brazos del otro sin reflexionar demasiado. En efecto, su relación es una experiencia fantástica, vivida intensamente, pues sus intereses son similares, su visión de la vida es simple y positiva, y porque ambos detestan las complicaciones, los subterfugios y la mezquindad. Su amor es caluroso y sincero, compuesto de impulsos generosos; en la sexualidad son alegres y risueños y, en su apasionamiento, pueden quemar rápidamente etapas y tomar decisiones referidas a la vida en común o el matrimonio. No hay nada malo en esto, pero la tendencia innata de cada uno a una cierta superficialidad puede empujarlos a minusvalorar los detalles que, irremediablemente, la vida en común hará aflorar. El primero de ellos es la ausencia de sentido práctico, que puede crear algunos inconvenientes al principio, pero que se resuelve gracias a la buena voluntad, que no le falta a ninguno de los miembros de la pareja. En cambio, el enfrentamiento existente entre la necesidad de libertad de Sagitario y las tendencias autoritarias de Aries parece más serio, y más acentuado en el caso de que este último sea el hombre. Por tanto, no resulta extraño que la pareja se encamine hacia las peleas, después de las cuales uno de los dos (generalmente Sagitario, que es menos fiel) se permitirá algunas escapadas. Pero las disputas pasan rápidamente a segundo plano y la pareja volverá a quererse con un renovado entusiasmo, incluso si la juventud quedó atrás.

ARIES – CAPRICORNIO

Quienes nacen bajo estos dos signos tienen concepciones de la vida radicalmente diferentes y poseen una serie de dones y defectos que los sitúan claramente en las antípodas. El fogoso hijo de Marte, es decir, Aries, vive a cien por hora y se lanza de cabeza contra casi cualquier obstáculo; el serio vástago de Saturno, es decir, Capricornio, se aferra y supera los escollos con increíble paciencia. Por tanto, van en direcciones distintas, pero eso no quiere decir que no puedan encontrarse. La necesidad de conquista de Aries se ve estimulada por la reputación de inaccesibilidad de Capricornio, quien, aunque secretamente está bien dispuesto hacia los placeres carnales, mantiene una apariencia austera, a veces descorazonadora; por ello, quizás involuntariamente, se anima al entrar en contacto con las calurosas atenciones de Aries. Una vez se conocen, puede iniciarse una relación, probablemente tumultuosa, pero si ambos protagonistas tienen una buena disposición, pueden aprender el uno del otro. El romanticismo queda excluido de esta relación, puesto que ambos tienen un comportamiento brusco y primitivo, y además detestan las minucias y las pérdidas de tiempo. Ciertamente, el pesimismo de Capricornio tiende a desmontar sistemáticamente las razones que impulsan a Aries a entusiasmarse, mientras que las improvisaciones de este resuenan de forma alarmante en los oídos de su pareja, que es un planificador atento y prudente. Es necesario añadir que, si a Aries le gusta mandar, a

Capricornio también, y, como cada uno dirige de una manera radicalmente distinta, les resulta casi imposible ponerse de acuerdo de forma espontánea. Es necesario, pues, que ambos realicen un gran esfuerzo para limar asperezas y alcanzar un aprecio mutuo. Capricornio podrá aprender de Aries a tener mas confianza en la vida, a vivir más alegremente consigo mismo, sin reprimir sus instintos y emociones. Por su parte, Aries recibirá de Capricornio un precioso ejemplo de coherencia y perseverancia, y le mostrará la importancia de ser pragmático y realista en interés del futuro de la pareja.

ARIES – ACUARIO

He aquí un prometedor encuentro a primera vista: la originalidad de Acuario suscita la admiración de Aries, y su aparente indiferencia estimula a este último a multiplicar los asaltos para conquistarlo. En un primer momento, Acuario intenta sustraerse de tanto ardor y circunscribir la posible relación dentro de los límites de la amistad, o mejor, en un ámbito inconformista que no lo ligue demasiado: ya sea hombre, ya sea mujer, este original personaje es siempre reticente a comprometer su libertad. Pero Aries tiene los medios para que cedan estas últimas resistencias, y es así como se inicia una relación interesante y animada, llena de proyectos estimulantes, caracterizada por una camaradería desenvuelta, una forma amigable de compartir derechos y deberes, así como una total ausencia de formalismo.

Convencidos de haber encontrado su alma gemela, ambos vivirán momentos maravillosos al principio de la relación. Los problemas empezarán al estabilizarse la unión, cuando las novedades comiencen a flaquear y la odiosa rutina ponga en evidencia los aspectos menos agradables del carácter de cada uno. Aries se dará cuenta de que su pareja tiene una forma muy personal de afrontar la vida y que él no está dispuesto a cuestionarse la suya propia, incluso por amor, y que tendrá que renunciar a sus deseos de ver su autoridad reconocida y a su voluntad de limitar la libertad de acción de Acuario. Este último advertirá que el inconformismo de Aries es superficial y que su visión de la paridad esconde siempre un ganador, él mismo. Los celos de Aries se verán puestos a prueba de forma cruel por un compañero que, aunque es infiel por vocación, tiene el hábito de organizar su vida sin dar explicaciones. En definitiva, la relación se erosionará muy rápidamente, pero se separarán sin rencor e incluso pueden seguir siendo amigos. No obstante, si desde el principio la relación se fundamenta sobre ideales comunes, sentimientos de amistad y de colaboración más que de amor, entonces puede durar mucho tiempo y satisfacer a ambos miembros de la pareja.

ARIES – PISCIS

Son signos de temperamentos tan diferentes que una relación parece improbable; sin embargo, puede llegar a funcionar, aunque con muchos altibajos. Ya sea hombre, ya mujer, Piscis está dotado de un encanto soñador y sensual que conmueve fácilmente a Aries; además, su apariencia frágil despierta los impulsos de generosidad y protección de este y le hace creer que podrá someter de forma duradera a Piscis una vez que lo haya seducido. Por su parte, Piscis necesita una presencia fuerte a su lado, alguien que le guíe hacia un objetivo fiable y resuelva a la vez su indecisión crónica; de este modo Aries tiene todas las cartas para asumir esta tarea. Así pues, Piscis se entrega y Aries tiene la impresión de haber ganado, pero la continuación de la historia se arriesga a decepcionar estas ilusiones. Ante todo, la sensibilidad epidérmica de Piscis puede sentirse herida por las formas bruscas de su pareja, puesto que Aries no comprende ni su angustia ni sus fantasías; no siente inclinación por mimar y confortar a su pareja y se irrita cuando se enfrenta a la pereza de Piscis, a esos momentos en que este se aparta de la realidad para evadirse en el universo onírico de las emociones. Pero cuando se siente incomprendido y abandonado, Piscis reacciona huyendo y se escapa del férreo control de Aries, dejando al supuesto dominador avergonzado. El carácter abnegado de Piscis, fuente de gran satisfacción para Aries, principalmente si es de sexo masculino, suele salvar la relación, puesto que la mujer Piscis está siempre dispuesta a compartir sus alegrías y sus sufrimientos, a curar las heridas infligidas a su amor propio, así como aquellas que sufre a causa de su propia imprudencia. De esta forma, él va a continuar viéndose en el papel de líder, mientras sigue hechizado por la sirena Piscis. Las perspectivas son más difusas en el caso contrario, pues si al hombre Piscis le gusta que su emprendedora compañera tome casi todas las decisiones, es probable que ella acabe por impacientarse y se vaya.

Las combinaciones del Sol y de la Luna

Sol y Luna en Aries

Son audaces, exuberantes, enérgicos y unos amantes ardientes, pero les falta suavidad. Impetuoso y apasionado, él es un cazador nato que busca una compañera fuerte y dinámica a quien transferir su propia agresividad, para mostrarse más sumiso de lo que cabría imaginar. Impulsiva e independiente, ella rechaza obstinadamente toda pretensión de superioridad masculina y prefiere romper con la pareja y buscar un compañero más dócil cuando no puede tomar el mando.

Sol en Aries – Luna en Tauro

Son personas de temperamento celoso y materialista que, además de la pasión, buscan garantías concretas en el amor; en su interior, el espíritu aventurero de Aries se deja domar por la expectativa de una feliz vida en pareja. Ella tiene tendencia a dominar, a mantener a su compañero sólidamente atado a cambio de devoción, fidelidad y sensualidad. A él le gusta conquistar y probar todos los placeres, y no se tranquiliza hasta que encuentra una mujer sólida, maternal, que le mima y le impone límites.

Sol en Aries – Luna en Géminis

Son extrovertidos y brillantes, curiosos, insaciables e imprudentes. El amor es para ellos un apasionante laboratorio de juegos donde se mueven con gran desenvoltura. Bastante superficiales, se dejan arras-

trar fácilmente, pero se cansan con la misma facilidad y es complicado esperar de ellos fidelidad y coherencia. Él es un hábil seductor,
un compañero amable y divertido, pero que difícilmente asume sus
obligaciones. Ella es ecléctica, irónica y se adapta sin esfuerzo a diferentes tipos de relaciones. Ambos sienten horror por la rutina.

Sol en Aries – Luna en Cáncer

Tienen un carácter impulsivo e incierto, en constante equilibrio entre la
agresividad y la dulzura, el dinamismo y la pasividad. Los sentimientos y la familia revisten una gran importancia a sus ojos. Ella es apasionada, pero tierna, con aspectos románticos acentuados y dotada
de un fuerte sentimiento maternal; busca un compañero tolerante y
comprensivo. Él esconde su sensibilidad bajo un comportamiento
agresivo y necesita una compañera afectuosa que comprenda sus
emociones y perdone sus contradicciones.

Sol en Aries – Luna en Leo

Esta asociación de dos signos de Fuego exalta el egocentrismo y la
confianza en uno mismo. Ardientes, orgullosos, generosos y apasionados, tanto el hombre como la mujer viven el amor de forma gran-
diosa y exclusiva; no tienen miedo de imponer sus propios deseos,
que a menudo toman forma de auténticas pretensiones. Descarada
hasta el exhibicionismo, ella busca un compañero fuerte del que
pueda enorgullecerse. También fascinante, él busca una mujer cuyo
fuerte temperamento le haga destacar.

Sol en Aries – Luna en Virgo

Son personalidades complejas y a veces acomplejadas. En
su interior el espíritu crítico debilita la fogosidad, y la necesidad de certeza resta una cierta espontaneidad a
sus impulsos. En resumen, la seguridad de Aries
pierde fuerza y, más que la conquista, estos individuos buscan afectos tranquilizadores, fiables, pero de
los que puedan prescindir a veces. Él va a la búsqueda
de una mujer sencilla y ponderada, que constituya un refugio
sólido. Ella es tan perfeccionista en el amor como en la vida práctica,
algo fría emocionalmente, pero muy eficaz y bien organizada.

Sol en Aries – Luna en Libra

Es un temperamento que oscila entre la necesidad de imponerse y la exigencia de conciliación; son personas agradables y extrovertidas, pero un poco superficiales y juguetonas. En su interior el deseo de unión, de complementarse con el otro, es muy intenso, aunque son posibles algunas excepciones. Ella tiene unos enormes deseos de sentirse apreciada y puede ceder para complacer a su compañero, pero rehúsa sentirse dominada. Él busca una compañera delicada y refinada, que sea también una colaboradora dócil.

Sol en Aries – Luna en Escorpio

Se trata de una combinación dominada por Marte que da lugar a un carácter fuerte y autoritario que se impone sin medias tintas. En el interior de estas personas, el amor reviste algunos matices agresivos; viven pasiones fogosas, exclusivas, a menudo atormentadas por los celos. En caso de traición o de otras afrentas, hay que desconfiar de su espíritu revanchista. Muy instintivo y viril, él se siente atraído por mujeres complicadas y fatales. Combativa e indomable, ella es capaz de someter a su compañero gracias únicamente a su voluntad y a su magnetismo.

Sol en Aries – Luna en Sagitario

Son personas de temperamento alegre, extrovertido, fogoso, movidas por un entusiasmo contagioso que suscita una simpatía inmediata. Sus sentimientos son calurosos y sinceros, y se expresan sin rastro de timidez. Tanto ella como él se declaran abiertamente y tienden a instaurar una relación de camaradería con espacio para la aventura y la competición, pero siempre de forma muy deportiva. Ella busca una pareja viril y firme, pero que respete íntegramente su independencia. Él aprecia a las mujeres dinámicas, idealistas y generosas.

Sol en Aries – Luna en Capricornio

Tienen un carácter rígido y poco efusivo, que a menudo suele ser duro, autoritario y brusco. Para ellos, dejarse ir y revelar sus sentimientos es una muestra de debilidad, y, por tanto, buscan la contención; nunca se muestran demasiado apasionados y mucho menos dependientes del ser amado. Muy viril y carente de ternura, él necesita una compañía dulce y tolerante que se deje dominar. En el plano afectivo, ella es un poco huraña, poco maternal, rehúsa toda sumisión y necesita implicarse en actividades independientes.

Sol en Aries – Luna en Acuario

Independencia y libertad son los rasgos destacados de esta combinación. Simpáticos y altruistas, pero a la vez imprevisibles y algo imprudentes, se trata de caracteres desenvueltos y fáciles de seducir, aunque poco dispuestos a renunciar a su individualismo. Son idealistas, no demasiado románticos y todavía menos convencionales; ella, sobre todo, es la típica mujer emancipada que quiere estar siempre en la vanguardia, mientras que él busca una mujer autónoma, moderna e inconformista.

Sol en Aries – Luna en Piscis

Es una personalidad llena de contradicciones, caracterizada por el dinamismo y la pereza, la combatividad y la tendencia a dejarse llevar por los antojos. Su carácter es indeciso, caprichoso y casi infantil, carente de coherencia. El amor también puede vivirse con un apasionado fanatismo que mezcla el deseo con la realidad. Ella necesita un compañero capaz de no perderse en su desorden amoroso. Él se siente atraído por una mujer sensual y misteriosa, que se someta a su virilidad.

TAURO Y EL AMOR

Características de Tauro

Periodo: del 21 de abril al 20 de mayo
Elemento: Tierra
Cualidad: fijo, femenino
Planeta: Venus
Longitud zodiacal: de 30° a 60°
Casa zodiacal: segunda
Color: verde
Día: viernes
Piedra: zafiro
Metal: cobre
Flor: rosa
Planta: cerezo
Perfume: rosa

ELLA

Está dotada de un manifiesto encanto sensual del que es perfectamente consciente y que administra con sabiduría, en la medida en que, en sus ideales, no hay lugar para la pasión ciega y fulgurante, sino más bien un deseo de conseguir una estabilidad sentimental fiable. Sencilla y espontánea en sus expresiones, no tiene miedo de entregarse, pero no lo hace hasta que está convencida de tener enfrente un compañero adecuado, susceptible de garantizarle un amor y una fidelidad incondicionales, así como un porvenir próspero y tranquilo. Está dotada de una naturaleza apasionada pero prudente, puesto que, si escuchara a su instinto, podría acumular numerosas aventuras, lo que le interesa muy poco. Para ella, el amor es una fuerza global que la sume en la alegría y, si promete una devoción profunda y sincera al amado, atenciones constantes y satisfacción erótica, espera a cambio un compromiso absoluto. Tauro es el signo más posesivo; sus celos son proverbiales y esta mujer dulce y maternal quiere dominar exclusivamente a su compañero y puede transformarse en una auténtica furia ante una eventual traición. Al margen de este defecto, que comporta a veces un temperamento excesivamente suspicaz, posee un gran número de hermosas cualidades que la convierten en una de las mujeres más atractivas. No obstante, no está hecha para las sorpresas y las ambigüedades; es necesario que los límites de su universo estén bien marcados; se siente feliz cuando se instala en una rutina agradable, pautada por placeres terrenales confortables, de modo que una pareja demasiado cerebral o psicológicamente complicada puede suponerle una dura prueba.

ÉL

Amable, atento, agradable, el hombre Tauro posee unos modales encantadores, con los que alcanza sus objetivos. Cuando la pasión lo invade, se inflama en un segundo, pero consigue mantener la calma y seducir a su presa gracias a una táctica bien controlada. Pero el amor no es siempre el resorte que mueve su interés y su sensualidad innata lo lleva a menudo hacia aventuras de carácter estrictamente erótico. Prudente por naturaleza, reflexiona mucho antes de dejarse ir: la mujer de su vida debe ser atractiva, capaz de satisfacer apetitos no sólo sexuales, fiable y de una fidelidad a toda prueba. Lineal y pragmático, el hombre Tauro establece claramente que la amada es de su exclusiva pro-

piedad y es necesario ser prudente, ya que la situación más inocente puede desencadenar unas terribles escenas de celos. Hay que reconocer que se implica totalmente para respetar estas mismas reglas, excepto si su pasión se extingue: en este caso, el pacto de fidelidad queda automáticamente archivado. Hedonista convencido, el Tauro encuentra lamentable renunciar a los placeres materiales y, por tanto, no concibe los amores platónicos o incluso los tibios; para él la fusión entre el sexo y los sentimientos supone la raíz misma de una unión. Su materialismo lo lleva a «contabilizar» lo que se ofrece y se recibe en el marco de la relación de pareja: ofrece con placer lo mejor de sí mismo, pero debe sentirse recompensado; en caso contrario, el compromiso es de corta duración. Por el contrario, cuando todo funciona, se puede contar con un compañero protector y que infunde seguridad, con unos sentimientos duraderos y que vela por el bienestar de su pareja.

CORAZÓN, UNIÓN, RUPTURA

Antes de iniciar cualquier acercamiento es conveniente recordar que, cuando un Tauro se enamora, se une al objeto de su amor con tenacidad y, por tanto, es preferible tener muy claro hasta dónde se quiere llegar. Tanto él como ella aprecian las alegrías sencillas y aman la naturaleza: elija pues un parque o un hermoso jardín para encontrarse, y así predispondrá de forma positiva su espíritu según sus

deseos. Él se siente atraído por las mujeres serenas y alegres, sanamente sensuales, clásicas pero no demasiado sofisticadas; aunque, cuando está realmente interesado en una relación duradera, intenta saber si la mujer está también dotada de sentido común, de realismo y de circunspección. Prepare, pues, un pequeño discurso convincente y bien estructurado, invítelo después a su casa para una suculenta cena que preparará usted misma y acompáñela de buena música. Él pensará después de cenar. Por su parte, ella aprecia mucho las flores (preferentemente las rosas), pero no olvide mencionar que dispone de ahorros, un buen empleo y grandes perspectivas para el porvenir. Dígale también que admira a las mujeres hermosas pero con la cabeza bien puesta, que desea llevar una vida tranquila y que está impaciente por formar un hogar y, con todo ello, habrá dado un gran paso.

Una vez aceptada la proposición, la parte más importante del trabajo estará hecha: ha superado el examen y es el candidato ideal, destinado a vivir a su lado para siempre. Y no se queje de no haber sido ad-

vertido, puesto que cuando un Tauro ama de verdad es para toda la eternidad y la fuerza de su amor se mide por la intensidad de su unión, pero también, desgraciadamente, por sus celos. Sea hombre o mujer, Tauro sabe hacerse indispensable y es un amante infatigable y apasionado. Estará a su lado de manera siempre afectuosa, gentil, atenta, y demostrará su apego de forma palpable y concreta ofreciéndole un apoyo muy sólido. La mujer, más bien tradicional, está completamente dispuesta a ocuparse de su compañero y de sus hijos con amor; ella cuida la casa, se ocupa de la cocina y del eventual jardín con gusto, sabe crear un entorno agradable y es también una administradora vigilante. También muy conservador, el hombre trabaja duro para ofrecer lujo y confort a la familia y espera de su compañera que se ocupe de él con amor y atención.

La rutina de Tauro resulta agradable, pero puede acabar por aburrir a algunos. Generalmente está poco dispuesto a soltar su presa, pero existen técnicas infalibles para... hacerse abandonar. En tema de infidelidad es la más fiable y una simple sospecha es suficiente en numerosos casos, pero esta es una táctica francamente cruel que seguramente Tauro no se merece. He aquí, por tanto, algunos métodos menos malévolos pero muy eficaces: derrochar dinero en caprichos, rehusar las relaciones sexuales, anunciar que se desea abandonar el trabajo para dar la vuelta al mundo y, finalmente, descuidar la casa y la cocina si se vive en pareja.

RELACIÓN
CON LOS OTROS SIGNOS

TAURO – ARIES

La armonía es débil entre la Tierra y el Fuego. La Tierra, elemento de Tauro, inspira la prudencia y el placer por una vida tranquila y, por consiguiente, también el amor debe tener garantías y dar frutos concretos. Por el contrario, el Fuego, elemento al que pertenece Aries, suscita grandes entusiasmos que no duran siempre, pues en este signo el gusto por la emoción y la aventura desempeña un papel importante en el desarrollo de la curiosidad amorosa. A priori, ambos pueden gustarse, puesto que Tauro ejerce una gran atracción sexual sobre Aries, excitando su afán de coquetear; por su parte, Tauro no es insensible al vigoroso encanto de Aries, que le hace presentir unas tórridas prestaciones eróticas. Es muy extraño que uno de los dos se sienta decepcionado, pero las dificultades empiezan cuando se trata de dar un cariz más serio a la relación. Aries, ya sea hombre, ya mujer, busca someter a su pareja a su propia voluntad, imponerle su ritmo, generalmente ligero e irregular; aunque Tauro es de carácter suficientemente bonachón como para aceptar cualquier tipo de sumisión, su ritmo es mucho más lento y metódico y no se siente a gusto al ser aguijoneado por el ímpetu de Aries. Además, este no quiere renunciar a su espacio vital, y un Tauro posesivo no soporta que su pareja sea demasiado independiente; sus celos pueden conducir a un verdadero calvario a su pareja (a menos que uno de los signos tenga Venus o la Luna en Tauro o en Aries, lo que facilitaría una comprensión mutua). Por razones que no se encuentran tan sólo vinculadas al carácter, sino que también tienen una connotación social, la unión entre un hombre Tauro y una mujer Aries es altamente improbable, puesto que el hombre tiene la impresión de tener un «derecho» de propiedad sobre su compañera, lo que, para ella, significa renunciar a su propia personalidad. Pero en el caso contrario, la química puede funcionar y el audaz Aries no tiene demasiados problemas para imponerse a una mujer Tauro, dulce y tranquila; se sentirá gratificado por sus atenciones concretas, que él recompensará generosamente. Sin embargo, es ella quien dirige la relación, puesto que su férrea voluntad es un punto de referencia para su entusiasta pero poco reflexivo compañero.

TAURO – TAURO

Generalmente, las uniones entre dos personas del mismo signo, muy prometedoras al principio, se erosionan tarde o temprano, puesto que demasiadas similitudes en los puntos de vista pueden revelarse enojosas a largo plazo. Sin embargo, esta regla no resulta aplicable a los nativos de Tauro, que casi siempre forman una pareja inquebrantable en el seno de la cual reina un buen entendimiento. Este nace espontáneamente y se consolida con el tiempo, ofreciendo a los nativos la seguridad a la que aspiran y el agradable confort que tanto aprecian. Venus, planeta regente del signo, les inspira una visión del amor serena y realista, poco dada a las complicaciones psicológicas o a las pasiones ciegas y a los tormentos. La elección de la pareja se efectúa sobre la base de un conjunto de consideraciones, en las cuales el sentimiento y la atracción física cuentan mucho, sin olvidar otros valores prácticos que facilitan la vida a ambos en los asuntos cotidianos. Si no existe la presencia de unos fuertes valores astrales en signos diferentes e incompatibles, los dos Tauro se entienden de maravilla, puesto que comparten los mismos gustos e intereses, además de idéntica forma de concebir la vida en pareja, la familia y la gestión práctica de las cosas; el acuerdo erótico es intenso y generoso, y ninguno de los dos renuncia a otros placeres materiales que endulcen la existencia y sirvan a la vez para cimentar esta unión de forma especialmente agradable. Si para otros signos del zodiaco esta uniformidad puede ser aburrida, no es este el caso de los Tauro, puesto que se trata de un signo fijo que ama la certidumbre y que se siente contento al poder

contar con un compañero con el que no existe el peligro de conflictos ni de sorpresas. No obstante, se da el riesgo del estancamiento y el enclaustramiento de la pareja en un universo personal pragmático y tranquilo, puesto que los celos mutuos pueden conducir a apartarse de los amigos, al entrever eventuales rivales por doquier.

Y la probabilidad de que uno de los miembros de la pareja sea infiel puede hacer implosionar este pequeño paraíso, ya que es muy difícil que un auténtico Tauro pueda perdonar esta transgresión.

TAURO – GÉMINIS

Existe poca compatibilidad entre un signo de Tierra fijo como Tauro y uno de Aire móvil como Géminis. A primera vista, Tauro puede estar fascinado por la gran vivacidad intelectual de Géminis y, a su vez, este puede sentirse seducido por la evidente sensualidad del otro; pero si al principio las diferencias recíprocas son motivadoras, con el paso del tiempo pueden convertirse en causa de desacuerdos irremediables. Tauro necesita certidumbre y, cuando hace una elección, querría que durara eternamente, pero Géminis, hombre o mujer, no es la persona adecuada para este tipo de garantías, puesto que, incluso cuando ama sinceramente, da sobre todo la impresión de divertirse, cosa que merma fuertemente la confianza de su compañero. Ahorrador y ordenado, Tauro aspira a una vida de pareja serena y confortable, desprovista de complicaciones intelectuales, pero, para Géminis, activo y generoso, esto se transforma rápidamente en una insoportable rutina que lo aburre mortalmente. Enseguida acusará a Tauro de ser un materialista avaro con pocas aspiraciones y se desahogará con mil pequeñas maldades. Y como Tauro no tiene esta ligereza de espíritu tan importante en Géminis, es incapaz de captar las agudezas y las bromas de este último; ciertamente, admira su vivacidad y su habilidad para jugar con las palabras, pero a menudo se siente herido por su lengua viperina, todo ello sin tener en cuenta la vanidad de Géminis, que le impulsa a exhibirse y a coquetear, lo que representa una auténtica tortura para los celos de Tauro, que se hunde viendo que no puede controlar por entero a su escurridiza pareja. Desde el punto de vista sexual, Géminis es más distante, puesto que, sin los estímulos adecuados, el juego erótico no le atrae, mientras que los apetitos del sensual Tauro son más sencillos pero más consistentes. A largo plazo, es posible pues que sea Tauro quien busque consuelo en brazos de otro (o de otra) que le ofrezca placeres más concretos o unas perspectivas de futuro más seguras.

TAURO – CÁNCER

He aquí una pareja prometedora. La Tierra y el Agua, sus respectivos elementos, se compenetran perfectamente y los astros que rigen ambos signos, es decir, Venus y la Luna, armonizan. El amor que nace entre ellos reúne todos los factores para ser fecundo y duradero, y ofrecer alegrías y satisfacciones a cada uno de ellos. El tierno Cáncer, soñador por naturaleza y un poco pasivo, encuentra en Tauro un apoyo sólido y concreto que le permite afrontar las adversidades de la vida; por otro lado, Tauro halla en Cáncer un compañero afectuoso, dispuesto a aceptar sus deseos de posesión, así como una fuente de cuidados y atenciones sin igual (sobre todo si se trata de una mujer Cáncer). Es, pues, un amor compuesto de ternura y dulzura con ritmos lentos y perezosos; ambos aprecian la comodidad, les gusta compartir momentos de ocio escuchando música y reservan un gran espacio a los placeres sensuales, que abarcan desde el sexo a la buena mesa. Comparten igualmente una concepción bastante parecida de la vida en común y buscan una unión de tipo tradicional donde la casa sea un nido confortable y la rutina cotidiana sea agradable y esté bien organizada. Además de todo esto, ambos desean que la unión dé sus frutos, gracias a los niños: tanto Tauro como Cáncer son padres amorosos y protectores. Sin embargo, pueden existir motivos de incomprensión, incluso en la pareja perfecta. La delicada sensibilidad de Cáncer entraña frecuentes pero incomprensibles cambios de humor que Tauro, más bien lineal, acepta de mala gana; como reacción, puede dejarse llevar por caprichos que la pareja vea con gran suspicacia (esta situación se da con más frecuencia cuando la mujer es Cáncer y el hombre Tauro). Pero, a fin de cuentas, se trata de sutiles desacuerdos que no generan auténticos problemas más que en raras ocasiones; si no existen unos criterios astrales realmente discordantes, vivirán juntos y felices durante mucho tiempo, como en los clásicos cuentos de hadas que acaban bien.

TAURO – LEO
Resulta difícil el acuerdo entre dos signos fijos y por tanto testarudos, poco dispuestos a cambiar y que no tienen ningunas ganas de cuestionarse a sí mismos. La vitalidad solar del vigoroso y vanidoso Leo puede impresionar, pero la magnificencia de su comportamiento irrita a Tauro, poco dispuesto a dejarse seducir por las apariencias. El típico encanto de Tauro despierta los deseos de conquista de Leo, pero su estilo simple

y directo ofende en cierto modo el gusto por la grandeza de quien siempre va en busca de algo sensacional. Al principio, la atracción física puede prevalecer y, por su parte, la unión pasional promete emociones inolvidables, pero no es difícil entrever los motivos de los futuros desacuerdos; aunque los dos se obstinen en mantener la relación, cada uno está convencido de que es él quien lo desea. Ambos están dotados de una fuerte personalidad, si bien Leo suele ser poco sutil a la hora de exponer que desea la supremacía absoluta, mientras que Tauro, conciliador al principio, da la impresión de ser más flexible. Además, la presunción de Leo queda herida inevitablemente ante la prudente desconfianza de Tauro: este último intenta debilitar el entusiasmo, a veces demasiado ingenuo, de su compañero, pero, aunque lo haga de buena fe para evitarle desilusiones, el otro aceptará a regañadientes estas tentativas, que tomará como una afrenta personal. Si ambos son lo suficientemente abiertos, pueden aprender mucho el uno del otro: Leo podría ser más realista y Tauro, menos calculador. No obstante, la duración de este tipo de pareja es, en general, bastante incierta. El carácter posesivo de Tauro juega en contra de la relación, puesto que, incluso cuando es amoroso y fiel, a Leo le gusta pavonearse: ella puede llevar vestidos vistosos y provocativos y él puede dedicar audaces cumplidos a otras mujeres. Estos son comportamientos que, aunque sólo vayan destinados a satisfacer el narcisismo de Leo, suscitan en Tauro reacciones encendidas y un rencor que, a largo plazo, puede acabar minando la relación.

TAURO – VIRGO

En esta pareja muy «terrenal» existe el acuerdo y esto se nota enseguida. Es necesario que, sin embargo, sea el (o la) Tauro quien tome las riendas y guíe al (o la) Virgo hacia la relación: los nativos del sexto signo del zodiaco tienen demasiadas barreras que les impiden reconocer la verdadera naturaleza de sus sentimientos y necesitan algún empujón para convencerlos definitivamente. Y nunca le faltan los argumentos a Tauro. Para empezar, sabe despertar los apetitos sexuales de Virgo, que, aunque los oculte, no es en absoluto insensible a los placeres carnales. Por otra parte, la unión con un Tauro, que vive el sexo como un placer natural y alegre, puede ayudar a Virgo a superar ciertas inhibiciones. Virgo comprende bien la vertiente pragmática de Tauro, ya que busca en su pareja verdades tangibles que no es capaz de encontrar por sí mismo, además de sentirse fuertemente reconfortado por una presencia sólida y fiable. Aunque Tauro es más bien voluptuoso y obstinado, y Virgo cerebral y ecléctico, ambos tienen en común una forma idéntica de afrontar la vida: son prudentes, parsimoniosos, les gusta el orden y la organización, y no avanzan ni un paso si la maniobra no ha sido cuidadosamente planificada. De este modo, la relación sigue un camino seguro y evoluciona naturalmente hacia la vida en pareja, una elección que, como las otras, está programada de forma anticipada y en todos sus detalles. ¿Y después? Ellos continuarán así, manteniendo una confianza mutua y trabajando codo con codo para que la relación funcione como una máquina bien engrasada, sin sacudidas ni contratiempos. El peligro de esta unión es que se convierte en aburrida al ser demasiado perfecta, previsible y premeditada. Pero la costumbre conviene a ambos miembros de la pareja y son lo bastante sensatos como para reconocerlo. Podrían surgir eventuales problemas si Virgo rechazara los apasionados impulsos de Tauro (quien, en este caso, estaría muy cerca de encontrar otro compañero) o si, preocupado por las dudas, cometiera alguna transgresión.

TAURO – LIBRA

Aunque ambos están regidos por Venus, estos dos signos tienen muy pocas cosas en común; por esta razón, el entendimiento queda subordinado a una serie de rasgos potenciales. Venus proporciona a ambos nativos el gusto por la belleza y la comodidad, así como una cierta indolencia: un emplazamiento adecuado para el primer encuentro sería una galería de arte (o una pastelería). Ambos están enamorados del amor, pero esta aspiración común no resulta suficiente para ponerlos de acuerdo, pues sus estilos y sus deseos son completamente diferentes. Libra, signo de Aire, tiende a la abstracción y a una armonía perfecta, incluso teórica, de los contrarios; en cambio, Tauro tiene objetivos mucho más «terrenales» y concretos, y su escala de valores es muy material. También se notan estas diferencias de carácter en el acercamiento erótico; Tauro, pese a que ser afectuoso, es directo y no da demasiados rodeos, mientras que Libra (ya sea hombre, ya mujer) invierte tiempo en prepararse y prefiere las tácticas menos explícitas. Tauro, de naturaleza amable, no es del todo indiferente al refinamiento de Libra y admira su delicada sensibilidad, pero la percibe también como una persona un tanto fría, lejana y poco espontánea; por su parte, Libra, incluso aunque se sienta atraída por esta cautivadora criatura que emana sensualidad, juzga a Tauro como un poco limitado, demasiado atado a los placeres terrenales, al dinero, a la comida, refractario a ensoñaciones y fantasías. Sin embargo, Tauro, recto y sólido, podría ser un apoyo válido para el frágil Libra, dándole lecciones útiles de pragmatismo e impulsándolo a aprovechar sus dotes creativas. Por su lado, Libra podría ayudar a Tauro a alejarse un poco de la Tierra y a atravesar los estrechos límites a los cuales suele aferrarse. Pero, para que esta química un poco complicada sea un éxito completo, es necesaria la complicidad de otros componentes astrales en signos adecuados; si no, a fuerza de altibajos prolongados se corre el riesgo de desarrollar un sentimiento de malestar recíproco que, tarde o temprano, podría poner punto final a esta historia de amor.

TAURO – ESCORPIO

Tormento y éxtasis alimentan cotidianamente esta pareja explosiva; Tauro y Escorpio se enfrentan por su calidad de signos opuestos. A esto sigue una fuerte atracción-repulsión que establece una relación intensa y contradictoria, a veces agotadora, pero siempre fascinante. Signos fijos y como tales obstinados, sus métodos y sus ideales son, sin embargo, radicalmente distintos: Tauro aspira a una serenidad bucólica que se refleje de manera sana, sencilla y natural en la forma de vida y en su concepción del amor; por el contrario, Escorpio evoluciona en una atmósfera oscura y vive cada emoción con exceso, como si se tratara de una cuestión de vida o muerte. Tranquilidad e inquietud, sencillez y complejidad, deseo de paz y tendencia a la lucha: una vez puestas

las cartas sobre la mesa por ambos protagonistas, no podrían ser más diferentes, y el juego amoroso se convierte en algo muy agobiante. Tauro intenta imponer a su pareja sus reglas sin réplica y convencerla con proposiciones sensuales y tentadoras, pero el astuto Escorpio no se deja atrapar fácilmente: si quiere tomar algo, lo coge; si prefiere rehusarlo, lo rechaza, y parece disfrutar atormentando a su pareja y poniendo a prueba su serenidad.

A pesar de todo, se encuentra seguro por el sentido común de Tauro y aprovecha plenamente los cuidados y atenciones que este le prodiga y le gusta dejarse contagiar por su alegría de vivir. Si no se lo comunica abiertamente, es porque prefiere recrearse en el misterio. Por su parte, Tauro, atrapado en la red tejida por el encantador Escorpio, se pierde en el laberinto de esta compleja personalidad, y rechaza salir de él al entrever oportunidades inimaginables, puesto que este es quizás el único signo capaz de cambiar su manera de planificarlo todo. En definitiva, se trata de una relación que exige mucha implicación y una notable resistencia: la tentación de dejarla correr surgiría con facilidad en personalidades menos tenaces, pero, con Tauro y Escorpio, esta extenuante y apasionante confrontación puede durar eternamente.

TAURO – SAGITARIO

Aunque parten de unas premisas muy distintas, Sagitario y Tauro pueden formar una pareja feliz. Es cierto que Tauro está dotado de una visión de la vida bastante estática y de un intenso deseo de anclarse en el corazón de una sola persona, mientras que a Sagitario, signo móvil, le gusta evolucionar en grandes espacios y no se convierte en monógamo hasta después de haber acumulado múltiples experiencias. A pesar de todo, y quizá sin saberlo, ambos nativos comparten muchas cosas: el gusto por los placeres sencillos, el odio por las complicaciones, además del deseo de una existencia confortable y alegre donde las cosas materiales ocupen un lugar adecuado. Ciertamente, la expeditiva ligereza de Sagitario está mal vista por el prudente Tauro, quien aprueba todavía menos la prodigalidad generosa y los exagerados entusiasmos, y, además, es totalmente alérgico a los arrebatos idealistas y espirituales que exaltan tan a menudo el alma de Sagitario. En realidad, Sagitario encuentra a Tauro previsible y calculador, demasiado vinculado a unos esquemas de comportamiento fijos y, por lo tanto, potencialmente aburridos. Si el encuentro tiene lugar cuando son jóvenes, es improbable que la relación se consolide: Tauro intentará frenar rápidamente la exuberancia de Sagitario, quien, sintiéndose como un potro salvaje atrapado, emprenderá la huida en cuanto tenga ocasión. La unión tiene, sin embargo, buenas probabilidades de éxito si Sagitario ya tiene experiencia y ha satisfecho sus deseos de aventuras amorosas y existenciales. Efectivamente, con el paso del tiempo, las personas pertenecientes a este signo se vuelven pacientes y se adaptan gustosamente al devenir de las cosas, dentro de un bienestar confortable donde los imprevistos pertenecen a un tiempo pasado. Si Tauro entra en escena en este momento, encontrará una pareja ideal con la que construir un hogar y una familia, y no deberá preocuparse por la posible infidelidad de Sagitario, que ya se encuentra saturado de experiencias, por lo que ambos podrán dedicarse a disfrutar de una placentera vida en pareja.

TAURO – CAPRICORNIO

La unión entre estos dos signos de Tierra se apoya en unos sólidos fundamentos. Materialistas muy convencidos, ambos utilizan métodos parecidos y, cuando hacen elecciones, incluso amorosas, toman en consideración no sólo los sentimientos, sino también algunos aspectos prácticos que pueden facilitar la vida en pareja de forma notoria. Ninguno de los dos se deja llevar por pasiones ciegas; son prudentes y planificadores, y avanzan con cautela cuando su porvenir afectivo se encuentra en juego. Pero la alegre espontaneidad de Tauro le es completamente ajena al serio y reservado Capricornio: este esconde su sensibilidad tras una fachada glacial y su temor a ser herido o decepcionado le impulsa a mostrar un ostensible desinterés por el amor, por lo que prefiere lanzarse a aventuras estrictamente sexuales que excluyen los sentimientos. Entonces, Capricornio obliga a Tauro a asaltar esta fortaleza aparentemente inexpugna-

ble, si bien es cierto que a este no le faltan ni la paciencia ni las armas de seducción susceptibles de convencer a su coriáceo adversario para que se rinda y reconozca su atracción por los placeres sensuales aunque no lo deje entrever. Cuando Capricornio se haya convencido de la seriedad de las intenciones de Tauro, se iniciará una relación amorosa (incluso aunque sea un poco limitada y carente de ideales y fantasía), con todas las condiciones que permitirán transformarla en un buen negocio. La compañía de Tauro es muy beneficiosa para Capricornio, puesto que le contagia su alegría de vivir y suaviza su rudeza con sus amables atenciones, mostrándole que, a fin de cuentas, la vida no es únicamente una montaña escarpada que subir, sino que también ofrece verdes praderas y macizos de flores a cuya sombra se puede descansar. Por otro lado, Capricornio no tiene nada que objetar al sentido común y la amabilidad de la que Tauro hace gala en cualquier circunstancia y

que él aprecia cada vez más con el paso del tiempo; incluso si la pasión se debilita, ambos podrán contar siempre con una estima y una colaboración recíprocas.

TAURO – ACUARIO

He aquí dos signos casi incompatibles, para los cuales el amor, cuando nace, supone el inicio de una relación muy caótica y de corta duración. Tauro es uno de los signos más conservadores y tradicionales que hay, mientras que el inconformista Acuario vive proyectándose en el futuro y mofándose de las convenciones. Tauro tiene los pies bien anclados en la tierra y subordina cada una de sus elecciones a la evaluación atenta de elementos materiales; Acuario tiene la cabeza

en las nubes y está siempre dispuesto a dejarse llevar por una idea o un proyecto: si ha de enfrentarse a necesidades prácticas, se siente molesto y a disgusto. Desde el inicio, es poco probable que surja un interés recíproco; Tauro mira con desconfianza el estilo liberal de Acuario, y este considera al otro como un materialista reaccionario. Sin embargo, existen algunos individuos a quienes les gusta plantearse desafíos imposibles, que tienen un gran deseo de explorar universos desconocidos y lejanos, y este mismo mecanismo impulsará a Acuario a vivir una historia de amor con Tauro, o viceversa. Ambos lo arriesgan todo por este amor: si funciona, descubrirán una nueva dimensión en sus vidas, pero si va mal, vivirán un fracaso irremediable. Las emociones están siempre presentes en una relación de este tipo, pero quizás es preferible hablar de fricciones, ya que Tauro busca planificarlo todo y, por el contrario, el impredecible Acuario detesta todo lo programado y es capaz de barrer en un instante cualquier previsión. Para Acuario, es natural disponer de un espacio vital, y detesta más que cualquier otra cosa que coarten su libertad, la cual no utiliza para llevar a cabo transgresiones, sino que consagra a unos intereses muy variados. No obstante, Tauro tiene tendencia a malinterpretar estas exigencias: los celos le torturan y, cuando no puede más, intenta someter definitivamente a su compañero, a quien no está dispuesto a renunciar. En definitiva, se trata de un eterno tira y afloja, que sólo los más expertos y tenaces nativos de estos dos signos fijos pueden vivir de manera exitosa.

TAURO – PISCIS

En teoría, existe un buen acuerdo entre un signo de Tierra como Tauro y uno de Agua como Piscis, pero las numerosas divergencias de carácter no facilitan la mutua comprensión que era de esperar. A primera vista, es innegable que ambos se atraen: están dotados de una fuerte carga sensual (más poderosa en Tauro que en Piscis) y pueden experimentar una amplia gama de placeres; el entendimiento erótico los mantiene siempre vinculados en la voluptuosidad y contribuye a rebajar las tensiones que, tarde o temprano, aflorarán de nuevo. Al principio, todo parece ir perfectamente: el Piscis enamorado es una criatura tierna y disponible que se entrega totalmente al ser amado y Tauro piensa que puede contar con su devoción absoluta. Pero Piscis es un signo móvil y, en consecuencia, sujeto a frecuentes cambios de humor; se retira de la sociedad, no contesta cuando le hablan y, peor, desaparece en el transcurso de inexplicables huidas que sumen a Tauro en un auténtico estado de ansiedad. En la mayor parte de los casos no pasa nada, y no ha sido otra cosa que la manifestación de la versatilidad de Piscis; pero a Tauro le cuesta comprender esto y puede montar en cólera. El desorden y la improvisación, otras características de Piscis, son motivo de irritación para Tauro, a quien le gustan las cosas claras y bien definidas, las reglas precisas y las verdades matemáticas. Piscis podría aprender a ser más realista, a afrontar la realidad en lugar de rehuirla cuando no corresponde a sus sueños, pero suele sentirse incomprendido y se pierde soñando dulces evasiones. La pareja formada por una mujer Tauro y un hombre Piscis es más prometedora: ella, más sólida, le mima un poco y le facilita la vida cotidiana, cosa que le satisface plenamente. En caso contrario, surgirán problemas adicionales, puesto que el hombre Tauro se impone sin dificultad a una compañera sumisa (y por su parte, ella aprecia el apoyo que le ofrece), pero le cuesta comprender su emotividad y hiere su sentimentalismo.

Las combinaciones del Sol y de la Luna

Sol en Tauro – Luna en Aries

El carácter gana en mordacidad y espíritu de iniciativa, pero la calma propia del signo se rompe por explosiones de cólera: mostrará más entusiasmo, pero también menos paciencia, inmovilismo y discusiones. Los sentimientos son más ardorosos, instintivos, menos reflexivos. Combativa, dinámica, celosa y algo desprovista de escrúpulos, ella es una dominadora que se impone a la vez con dulzura y agresividad. Él busca una compañera activa que lleve las riendas de la relación con mano firme.

Sol y Luna en Tauro

Esta configuración ofrece mucha sensualidad y dulzura, así como una gran necesidad de contacto físico, pero también sentido práctico y un deseo de afecto seguro y duradero, un gran deseo de posesión y, en consecuencia, celos. Sus sentimientos son unívocos y exclusivos, pero exige una fidelidad absoluta. Él es un hedonista plácido que busca una compañera colaboradora y serena con quien formar un hogar sólido. Ella es una supermujer, protectora y maternal, que se consagra a las alegrías de la familia y concede mucha importancia a la seguridad material que puede ofrecerle su pareja.

Sol en Tauro – Luna en Géminis

La efervescencia lunar aligera el carácter convirtiéndolo en más brillante y flexible. Esto da lugar a un Tauro más desenvuelto y con unos reflejos aún más vivos, pero también más ansioso, y que no siempre consigue mantenerse fiel a sí mismo: sus sentimientos oscilan entre el deseo de estabilidad y el placer de nuevas emociones. Ella es vital, siempre juvenil, lo bastante flexible como para adaptarse a personas y situaciones variadas. Él proyecta estas características sobre la mujer ideal y busca una compañera despreocupada y sociable.

Sol en Tauro – Luna en Cáncer

He aquí una personalidad afectuosa y romántica, desbordante de sensibilidad y creatividad, pero a quien le falta un poco de energía y espíritu emprendedor. El amor ocupa un lugar destacado, al igual que la familia, los niños y una casa confortable; los sentimientos se viven con entusiasmo y algo de ansiedad. Ella es 100 % femenina y encarna la clásica esposa-madre, pero de forma muy sensual. Él, tierno y amable, busca una compañera dulce y protectora con quien construir un hogar cálido y sólido.

Sol en Tauro – Luna en Leo

La energía, una notoria obstinación y un gran deseo de supremacía son los rasgos más característicos de esta combinación. El materialismo toma una tonalidad más acentuada, y las pretensiones aumentan de calibre, en detrimento de la tradicional prudencia de Tauro. Existe una viva necesidad de ser admirado: incluso las emociones revisten teatralidad y la pasión tiende a la exageración. Los sentimientos son generosos, pero se espera a cambio devoción y fidelidad completas. Él busca una mujer vistosa y sensual. Ella, déspota y protectora, quiere un hombre ambicioso y triunfador.

Sol en Tauro – Luna en Virgo

Se trata de una combinación muy terrenal que exalta los valores prácticos, como el sentido común, la utilidad y el pragmatismo. Precavidas y desconfiadas, estas personas planifican la vida hasta sus más mínimos detalles y el amor las toma difícilmente por sorpresa, puesto que tienen tendencia a controlar sus emociones; sin embargo, suelen relajarse una vez que están seguras de su pareja. Él desea una compañera juiciosa e inteligente con quien compartir placeres sencillos. Ella, sobria y eficaz, a menudo se contiene en lugar de valorarse.

Sol en Tauro – Luna en Libra

Venus domina ambos signos y les confiere un temperamento educado y sociable, desbordante de encanto y amabilidad. Tranquilas y atractivas, estas personas tienen gran necesidad de amar y de ser amadas, y las satisfacen plenamente, puesto que saben crear un clima sereno en su entorno. Amable y seductor, él busca una mujer sensible, refinada y cómplice. Ella posee todas las cualidades necesarias para ser una mujer perfecta, pero tiene una gran tendencia a gozar de las pequeñas alegrías y necesita una pareja que se las garantice.

Sol en Tauro – Luna en Escorpio

Estas personas tienen un gran afán de poder y combinan unos apetitos voraces (empezando por el sexo) y una inclinación por los excesos amorosos. Los deseos personales pasan ante todo, incluso por encima del objeto de su amor, con la pretensión de mantener bajo control a los demás, particularmente a la propia pareja. Él busca una mujer sensual y dominadora, capaz de perturbarlo profundamente. Ella, magnética e intrigante, rechaza con agresividad el papel tradicional.

Sol en Tauro – Luna en Sagitario

Esta combinación pone en evidencia un temperamento sencillo, alegre y cordial, acompañado de una cierta propensión al exceso. Menos prudente y más aventurero que el Tauro medio, este nativo tiene arrebatos que expresa a través de impulsos generosos y una pasión instintiva muy sensible al deseo físico. Ella, optimista y afectuosa, busca un compañero dinámico, leal, capaz de satisfacer sus exigencias, tanto materiales como espirituales. Él desea una mujer llena de vitalidad, que suscite su entusiasmo y que le aleje del aburrimiento.

Sol en Tauro – Luna en Capricornio

Son rectos y responsables, serios y ambiciosos, pero están un poco a la defensiva y se inclinan por el control de las emociones y de los sentimientos en el plano afectivo. Cuando se entregan, lo hacen con sobriedad, sin excesos, pasiones ciegas o decisiones precipitadas. Tanto él como ella son capaces de una unión tenaz y de una implicación constructiva en la relación de pareja. Él quiere una mujer sobria y eficaz; ella, austera y cargada de sentido común, es capaz de grandes realizaciones.

Sol en Tauro – Luna en Acuario

No es una combinación de las más armoniosas. En ella conviven inmovilidad y método experimental, sentido posesivo y arrebatos de libertad. El materialismo se debilita o se pone al servicio de ideales más amplios, puesto que existe una necesidad de sentirse útil a la comunidad. Ella encarna con desenvoltura el modelo femenino autónomo y abierto; no obstante, sus sentimientos son duraderos y posee una notable capacidad para la devoción del ser amado. Él se da cuenta del abismo que separa sus propios deseos y la imagen de la mujer ideal, a la vez moderna y angélica.

Sol en Tauro – Luna en Piscis

Se trata de una personalidad flexible e indolente, altruista y bonachona: el espíritu emprendedor y autoritario está casi ausente, y la tendencia se inclina más a ceder que a imponerse. Altruistas, creativos y sensibles, estos individuos ven el amor como una prioridad en su vida y su sensualidad está muy acentuada. Ella es maternal y protectora, desborda dulzura e impulsos generosos en torno a los que ama. Él, aunque muy vinculado a las alegrías materiales, se siente atraído por mujeres encantadoras y etéreas.

GÉMINIS Y EL AMOR

Características de Géminis

Periodo: del 21 de mayo al 21 de junio
Elemento: Aire
Cualidad: móvil, masculino
Planeta: Mercurio
Longitud zodiacal: de 60° a 90°
Casa zodiacal: tercera
Color: gris
Día: miércoles
Piedra: esmeralda
Metal: platino
Flor: mimosa
Planta: avellano
Perfume: camelia

ELLA

La mujer Géminis dispone de un gran poder de seducción que casi siempre sabe utilizar con habilidad. Radiante, vital y sociable, a menudo traviesa e imprevisible, la fineza de su espíritu y la gracia de sus observaciones resultan fascinantes, sus maneras encantadoras y juveniles no se debilitan con el paso del tiempo y, como su homólogo masculino, a menudo da la impresión de estar jugando. No es ni apasionada ni sentimental, sino que se acerca de manera cerebral al amor: para gustarle, un hombre debe proponerle estímulos más intelectuales que físicos; sin embargo, esto no impide que tenga experiencias y aventuras múltiples. Si en alguna ocasión se ve implicada en historias tumultuosas, es a causa de su curiosidad natural. Esto da lugar muy pocas veces a una relación duradera, puesto que su humor variable la impulsa a cambiar a menudo, a acumular aventuras que halagan su vanidad y alejan el aburrimiento. Sin la presencia de fuertes valores en otros signos, es poco probable que se case pronto; siente horror por las ataduras y, aunque se comprometa, necesita una relación flexible que no le impida «respirar». Cuando se enamora tiende a formar una relación estable, en la que la pareja es el amigo y el cómplice de sus numerosas actividades y centro de interés; una persona limitada y un exceso de rutina apagarían rápidamente su amor. En general es poco celosa y no pretende por tanto una fidelidad absoluta, que tampoco ofrece y a la que no da ninguna importancia en particular; para ella es mucho más importante establecer una comunicación libre y espontánea con la persona amada.

ÉL

Tanto en el hombre como en la mujer existe un Géminis locuaz e inconstante y otro más serio e introvertido, seguramente más fiable pero menos accesible; con frecuencia sucede que ambas «facetas» conviven en un mismo individuo, que interpreta cada vez un papel diferente. Dicho esto, Géminis es casi siempre una personalidad brillante y desenvuelta, experto en el arte de llamar la atención femenina a partir de bromas ingeniosas y novedades agradables; posee el don de saber rápidamente cómo emocionar a una persona y se adapta a las situaciones más dispares con la habilidad de un camaleón. Sus éxitos amorosos, sus conquistas y sus amistades son numerosas, puesto que, incluso si le

gusta cambiar a menudo de pareja, sabe desenvolverse con mucha diplomacia en situaciones muy complicadas y consigue mantener varias relaciones a la vez. Su accesibilidad le permite no enemistarse la mayor parte de las veces con sus ex parejas. Su espíritu atormentado le impulsa a cambiar, a experimentar, a probar un poco de todo; por descontado, no se trata de un modelo de fidelidad y de coherencia, puesto que se cansa rápidamente con la repetición de las mismas emociones. No es la pasión sensual la que lo convierte en infiel, sino más bien la curiosidad, el gusto por la seducción, ya que, en los momentos «tórridos», su ilimitada fantasía representa su mejor baza. Para mantener su amor de forma permanente (o casi), necesita una mujer intelectualmente viva, con un temperamento abierto y ecléctico, que le permita salir a la búsqueda de diferentes aspectos de su personalidad y le dé la impresión de vivir al lado de un compañera en continuo cambio.

CORAZÓN, UNIÓN, RUPTURA

Para estos eclécticos personajes, el cortejo constituye un juego fascinante y, de entrada, seducen con la palabra, que utilizan con maestría para atraer sobre ellos la atención de un numeroso público. Vanidosos, les gusta sentirse adulados, aunque sea un juego, y están muy bien dotados para los cumplidos y los halagos; cuando deciden atrapar a alguien en sus redes, son simplemente irresistibles. Pero las manifestaciones de sensualidad femenina o la ostentación de la musculatura masculina no bastan para conquistarlos: es necesario tener también un espíritu bien moldeado, unas opiniones interesantes y un bagaje intelectual y cultural sabiamente dosificado (en pequeñas píldoras, si es posible...). Los Géminis aprecian enormemente a aquellos que saben ponerse a su nivel, escucharles y contestarles de manera adecuada; en resumen, les gusta establecer una corriente de comunicación variada y estimulante en un clima ligero, lúdico y efervescente. Generalmente son poco apasionados, tienen una relación desenvuelta y ligera con el sexo, al cual no dan demasiada importancia, tanto si es en términos morales como puramente físicos. Para ellos, el sexo simplemente forma parte de los juegos amorosos, y se entregan a él alegremente sin tomárselo demasiado en serio.

Sin embargo, nadie debe atreverse a involucrarlos en crisis de celos o en «ardides» sentimentales, puesto que, siempre distantes y un poco irónicos, no caen fácilmente en la trampa. Si llegan a conmoverse, les dura poco, y los sentimientos de culpabilidad y los chantajes afectivos casi nunca funcionan con ellos. Sea hombre o mujer, Géminis es bastante precoz en sus experiencias amorosas, pero su carácter de eterno adolescente lo convierte en alérgico al sentido de la responsabilidad.

A menos que algunos valores fuertes estén presentes en otros signos, intentará rechazar durante el máximo tiempo posible un vínculo definitivo, incluso si está sinceramente enamorado, y una relación de «novios eternos» representa, tanto para él como para ella, la solución ideal. Por tanto, supone una gran prueba de amor por su parte aceptar una proposición de vida en pareja o de boda, pero, como en todo, existe el riesgo de que la rutina lo aburra rápidamente. Si se pretende que esta unión sea duradera es necesario mantener la frescura de los primeros momentos y profundizar en el vínculo en el día a día incluyendo planes diferentes, apoyándose en sugerencias e intereses comunes y en experiencias para compartir. La vida con un Géminis es divertida, colorista, llena de pequeñas sorpresas, pero cansada para aquel que sea indolente o aprecie la tranquilidad, y alarmante para el que necesite certidumbres sólidas, incluso aunque, en el fondo, este doble signo aprecie poder contar con una persona que le ofrezca calidez y protección. Si usted se cansa el primero, no tendrá ninguna dificultad en ser abandonado. No le escuche cuando hable, manifieste una falta total de interés por todo aquello que sea de orden intelectual o mundano; sea celoso y asfixiante pretendiendo controlar cada uno de sus gestos, pronto verá que Géminis no resiste durante mucho tiempo.

RELACIÓN
CON LOS OTROS SIGNOS

GÉMINIS – ARIES

El Aire de Géminis aviva demasiado el Fuego de Aries, con el grave riesgo de desatar graves incendios. La despreocupada desenvoltura de Géminis atrae con fuerza a Aries, fascinado por un estilo tan diferente al suyo que le hace intuir una infinidad de sorpresas; además, el carácter malicioso y escurridizo de Géminis convierte la conquista en algo más difícil, lo que no hace más que estimular el deseo. Cuando finalmente el (o la) Géminis decide ceder, se inicia una relación picante sometida a continuos altibajos, disputas y reconciliaciones. A corto plazo, todo va bien: las continuas ocurrencias de Géminis divierten enormemente a Aries y su capacidad de adaptación puede hacer creer que es una persona fácil de someter. Por su parte, el entusiasmo de Aries actúa como agradable contrapunto a la angustiosa incertidumbre de Géminis, y le comunica esa capacidad de decisión que a menudo le falta. Juntos dan vida a cientos de proyectos y aventuras, y nunca se aburren. Pero al conocerse mejor, descubren cuán diferentes son sus caracteres y entonces empiezan las notas discordantes. Géminis es muy cerebral y lo pasa todo por el filtro de la razón, mientras que Aries es una persona apasionada que se inflama con gran facilidad: cuanto más distante e irónico es el primero, más instintivo y entusiástico es el segundo. Esta diferencia fundamental influye también en la vertiente erótica: Aries es vigoroso pero poco refinado, mientras que Géminis necesita ser excitado con delicadeza. A su manera, cada uno quiere asumir el papel protagonista: Géminis por vanidad y Aries por egocentrismo, por lo que tienden a rivalizar de manera provocativa. Pero el enfrentamiento más vivo se debe al deseo de Aries de imponerse de una vez por todas, y a la alergia que tiene Géminis a respetar las reglas, lo que le lleva a adoptar un comportamiento incoherente y contradictorio que saca de quicio a Aries (sobre todo si es un hombre). En resumen, se trata de una relación fascinante pero inestable y que, con frecuencia, no sobrevive al paso del tiempo.

GÉMINIS – TAURO

A menos que otros factores astrales intervengan para ampliar la comprensión mutua, no existe demasiado *feeling* entre estas dos personalidades «puras». Géminis es tan ligero e inconsistente como una mariposa, cosa que Tauro envidia, puesto que los signos de Tierra sueñan a veces con volar más allá de las fronteras materiales: tener un Géminis a su lado le dará la sensación de sentirse muy ligero. Por su lado, Géminis, ya sea hombre, ya mujer, carece de realismo y tenacidad, y la presencia de un sólido Tauro constituye una especie de póliza de seguros. Si ambos son especialmente abiertos y maduros, puede establecerse una relación fecunda y provechosa, pero en la mayoría de los casos, y especialmente cuando el amor nace en plena juventud, los desacuerdos prevalecen y la relación nunca llega a cuajar. El júbilo de Géminis es atormentado, pues siempre está a la búsqueda frenética de nuevos estímulos para nutrir su insaciable espíritu; por el contrario, la alegría de vivir de Tauro es más serena, ya que disfruta de placeres sencillos y busca ante todo la satisfacción de los sentidos. Los primeros desacuerdos surgen al tratar de elegir las diversiones y las salidas; después, poco a poco, Tauro tiende a reducir sus salidas mundanas y, si ambos viven juntos, a revelar su aspecto más casero, tranquilo y amante de permanecer en su confortable casa, mientras que Géminis se pone rabioso y se venga con crueles comentarios. El legendario afán de posesión de Tauro frena casi siempre la libertad de la pareja, pero hay que reconocer que los Géminis tienen tendencia a olvidar los horarios y las normas, y que les gusta mucho charlar con desconocidos: estos son dos defectos imperdonables cuando se convive con un Tauro celoso, que antes o después monta en cólera. Pero Géminis acaba generalmente por hartarse de

la tranquila rutina que le impone su compañero y, cuando se aburre, mantenerlo en la jaula es una misión imposible: se entristece, y sus caprichos y sus comentarios mordaces lo convierten en insoportable y pueden hacer perder la paciencia incluso al más tranquilo y perseverante de los Tauro.

GÉMINIS – GÉMINIS

Entre dos Géminis simpáticos, locuaces y eclécticos, la empatía es inmediata y la amistad probable, pero si surge el amor, generalmente dura muy poco. Demasiado parecidos, distantes y juveniles para compartir de forma equitativa las responsabilidades de una relación, evitan implicarse desde el principio y prefieren ser buenos amigos, permitiéndose de cuando en cuando una alegre escapada erótica, pero evitando cualquier vínculo serio. Así, la relación funciona perfectamente, divertida, espiritual, llena de novedades y de buen humor. Si, a pesar de todo, estos dos mercurianos deciden unirse en una relación más profunda, van directos al desastre. A menos que se produzcan unas fuertes correcciones astrales, ninguno de los dos posee la solidez y la determinación necesarias para tomar las riendas de la relación; peor aún, bajo un aparente desapego irónico ambos están aterrorizados por los sentimientos y, si no tienen a su lado a nadie que les obligue a dar «el gran paso», quedan prisioneros de su papel de eternos adolescentes y son incapaces de amar realmente. Una relación de este tipo se sitúa, así pues, bajo el signo de una gran inestabilidad y se teje sobre una serie de desafíos intelectuales e inadecuadas provocaciones que, si a primera vista pueden parecer atractivas, no llevan a ningún sitio. Cada uno de los protagonistas continúa procurando por sí mismo, no ve otra cosa que su interés personal y las posibilidades de encuentro, de compartir, quedan muy poco definidas. Las disputas y las polémicas se multiplican, a menudo por razones fútiles, y la diversión inicial la sustituye pronto un estrés nervioso permanente que acentúa la angustia recíproca. Demasiado intelecto y excesivamente poco sentimiento suelen ser la causa del problema, que, en su mayor parte, parece insoluble, puesto que, a pesar de quererse, el amor verdadero no llega a manifestarse. La relación finaliza generalmente sin rencor, y resulta preferible que se contenten con ser amigos.

GÉMINIS – CÁNCER

La relación que puede instaurarse entre estos dos signos es muy particular, pues, incluso a una edad adulta, se mantienen bastante juveniles. Cuando son jóvenes, pueden gustarse mucho aun sin darse cuenta; viven una afectuosa amistad que se convierte poco a poco en íntima hasta que perciben que no pueden vivir el uno sin el otro. Son muy diferentes: energía e ironía por parte de Géminis, sentimientos y emociones por parte de Cáncer; pero, en tanto que jóvenes, pueden divertirse mucho juntos, en una especie de in-

consciencia que lima las asperezas de la realidad. Cuando crecen y deben afrontar la realidad, empiezan las dificultades: cada uno busca en el otro firmeza, pero al estar ambos desorientados, acaban por perderse en el caos y la relación se resiente por ello. Además, el indolente Cáncer tiene serios problemas para seguir el frenético ritmo de Géminis, que acaba por aburrirse de una compañía tan fantasiosa y poética, pero un poco avasalladora para su gusto. Si la mujer es Cáncer, existe una ínfima posibilidad de que la relación dure, puesto que tiene tendencia a mimar a su futuro compañero y estará dispuesta a protegerlo y a satisfacerlo durante toda la vida, a condición de que él no se exceda en críticas que hieran la delicada sensibilidad de la mujer Cáncer y que no desaparezca con demasiada frecuencia para saciar su infinita curiosidad.

Por su lado, ella debe evitar asfixiarlo bajo sus atenciones constantes, y no irritarlo con llantos y reproches incomprensibles desde el distante punto de vista del hombre Géminis. En caso contrario, el entendimiento parece más problemático, puesto que Cáncer, emotivo y dulce, desea un mujer fiable que le garantice amor y seguridad, pero la perturbadora Géminis no está hecha para este papel de esposa y madre amorosa y atenta y, aunque acepte este papel durante un tiempo, abandonará rápidamente las zapatillas y los fogones para volver a sus centros de interés, pues no puede soportar que traten de meterla en una jaula, aunque sea por amor.

GÉMINIS – LEO

El Aire agudo de Géminis incomoda intensamente al generoso Fuego de Leo: ambos viven una relación intensa y prometedora, a pesar de que no está destinada a durar demasiado tiempo. Ambos gozan de un gran aprecio, aunque de forma radicalmente distinta, puesto que Géminis seduce por su inteligencia y su vivacidad, mientras que Leo sorprende por su orgullo y la vitalidad solar que irradia a su alrededor. Tienen facilidad para descubrirse mutuamente y se gustan de inmediato; de aquí nace una relación muy estimulante en la que cada uno intenta dar lo mejor de sí mismo para impresionar al otro y conquistar su admiración. Géminis y Leo forman la tradicional pareja brillante a la que le gusta mostrarse en público, divertirse y llevar una vida mundana, lo que les ayuda mucho a cimentar su unión. Pero al estar los dos destinados a mandar, suele suceder que se disputan el puesto, celosos de sus éxitos, lo que provoca una serie de disputas; en ellas, Géminis hiere con sus crueles sarcasmos el amor propio de su compañero, mientras que Leo atemoriza a su compañero con sus rugidos, antes de retirarse, ofendido, pero digno. Efectivamente, la susceptibilidad de Leo no es capaz de soportar durante mucho tiempo la impertinencia de Géminis, y esta es una de las razones que pueden poner fin a su relación. Sin embargo, los Géminis son lo bastante inteligentes para saber hasta dónde pueden llegar, suficientemente diplomáticos para saber en qué momento deben pasar de la crítica a las alabanzas y

lo bastante flexibles como para adaptarse a la imperiosa voluntad leonina (cuando es necesario). En equilibrio sobre una montaña rusa, la relación puede durar mucho tiempo, pero da mejores resultados si ambos se contentan con el noviazgo, puesto que la vida cotidiana puede hacer surgir desagradables divergencias a propósito de quién hace qué, y si Leo tiende por naturaleza a imponer su autoridad, Géminis tiene una gran tendencia a llevarle la contraria. Los airados reproches de Leo serán inevitables, Géminis replicará de forma irritante, y esto se prolongará hasta que uno de los dos no pueda soportar más la situación.

GÉMINIS – VIRGO

Dominados por Mercurio, estos dos signos tienen en común el intelecto y el espíritu crítico: entre ambos el diálogo es agudo, vivo, estimulante, pero a menudo toma un cariz muy polémico. Ambos son signos móviles, lo que da lugar a una serie de incertidumbres que resuelven de diferente modo: Géminis (hombre o mujer) tiende a la indiferencia y se esconde bajo una brillante desenvoltura; la (o el) Virgo intenta contener sus emociones manteniéndolas bajo control y planificando cuidadosamente cada paso. De ello surge una relación inestable y complicada, que se erosiona fácilmente si no intervienen determinadas correspondencias planetarias más benéficas. Ambos son igualmente refractarios a la pasión ciega, al romanticismo y al sentimentalismo, lo que podría ser un punto a su favor si el desapego de Géminis y la prudente timidez de Virgo no condujeran a un bloqueo. En términos sexuales tampoco existe demasiado *feeling* y siempre por las mismas razones: Virgo necesita un compañero que le dé confianza y que despierte sus apetitos «terrenales», mientras que Géminis, menos acomplejado, puede ponerlo en un compromiso y no ser lo suficientemente sensual para su gusto. En la misma medida que Géminis se divierte tomando la vida como un juego e intentando huir de compromisos y responsabilidades demasiado agobiantes, Virgo busca la seguridad evolucionando dentro de unos límites bien marcados y confiando en las verdades materiales.

Tarde o temprano, con su manía por el orden y los detalles, Virgo incomodará a Géminis, que se aburrirá de llevar una existencia tan previsible y repetitiva; por su parte, su pareja encontrará insoportable la imprevisión de Géminis, su permanente cambio de parecer, por no hablar de su vertiente malgastadora, que representa un serio motivo de alarma para el ahorrador Virgo. El nerviosismo, otro denominador común de estos signos, amenaza con desbordarlos y puede desencadenar agrias discusiones en las que se intercambien duras palabras y despia-

dadas críticas hasta que la relación se rompa.

GÉMINIS – LIBRA

He aquí una prometedora pareja formada por dos signos de Aire que están en la misma longitud de onda y se entienden cómodamente ya desde su primer encuentro. No se trata de una pasión fulminante, puesto que ninguno de los dos se inclina hacia ella, sino más bien de una atracción natural a la que no pueden resistirse: los Géminis, comunicativos y ocurrentes, parecen efectivamente destinados a dar en el blanco con el exigente Libra, enamorado del amor, pero muy selectivo. El acercamiento de Géminis (hombre o mujer) es hábil y diplomático, y se ofrece con una inteligencia que nada tiene que ver con la exhibición de músculos o de curvas (que por otra parte no le interesan a Libra en absoluto), sino más bien con un registro abstracto, una convergencia de ideas y de intereses, con más o menos refinamiento. Y esto complace enormemente a Libra, que busca una armonía de gustos compartidos que piensa haber encontrado con Géminis; así es como no tarda mucho a entregarse, con esta gracia que le caracteriza. Por su parte, Géminis encuentra en Libra el compañero ideal, dulce sin ser agobiante, flexible sin ser sumiso, amable pero no desprovisto de iniciativa, suficientemente imperturbable para aceptar sin demasiadas dificultades los frecuentes cambios de humor y de gustos de su inconstante compañero. Todavía resulta más importante que, al lado de un Libra, los Géminis pueden calmar su nerviosismo crónico y respirar un ambiente sereno, que beneficia su equilibrio. De naturaleza tolerante, Libra no intentará recortar las alas de su pareja, y se arriesgará incluso a volar con él (o ella), puesto que ambos tienen gustos muy parecidos; un agradable círculo de amigos y una variada vida mundana suelen acompañar esta relación. La superficialidad y el desapego emotivo pueden limitar esta unión y conducirla al final por falta de impulso para superar las dificultades; pero cuando está presente el amor verdadero, estos dos signos se atraen irremediablemente.

GÉMINIS – ESCORPIO

Existe una extraña atracción entre estos dos signos tan diferentes. Géminis, signo de movilidad y de Aire, se encuentra regido por Mercurio, mientras que Escorpio, signo de estabilidad y de Agua, está gobernado por Plutón; sólo tienen en común una brillante inteligencia que los convierte en particularmente exigentes cuando se trata de encontrar una pareja que esté a su nivel. Sus citas son una agradable sorpresa para ambos, puesto que se estudian y se descubren recíprocamente con interés y con mucho entusiasmo. De esta forma, los Géminis, despreocupados e inconscientes, se lanzan sin reflexionar a una relación oscura e inquietante que puede transformarse en una auténtica trampa para ellos. Aparentemente, los dos parecen moverse en un plano de igualdad: inter-

cambian provocaciones y se lanzan desafíos intelectuales, pero en realidad, Escorpio lleva las riendas del juego y somete a su oponente (quien apenas se da cuenta de ello) gracias a su fuerte personalidad. Y los Géminis, tan astutos y desapegados, se enamoran locamente, lo que da la posibilidad a Escorpio de llevar la relación como mejor le parezca. Sin embargo, es difícil que el frágil Géminis pueda seguir durante mucho tiempo la intensidad del ritmo, las pretensiones y la tendencia de Escorpio a dramatizarlo todo: está de acuerdo en compartir las emociones, pero a condición de que tengan aspectos menos violentos. Así pues, más tarde o más temprano, el (o la) Géminis acumulará una serie de carencias, que le harán olvidar los compromisos adquiridos: entonces dirá mentiras muy fáciles de descubrir y pensará en otras cosas en la intimidad, en los momentos cruciales. Gracias a su intuición, Escorpio se dará cuenta inmediatamente de que se trata de signos de desánimo e intentará frenar los desacuerdos con su inteligencia si está realmente enamorado; pero, en general, se cansa de una pareja que ha perdido su vivacidad y que no es tan divertida ni tan imprevisible como antes. De esta forma, aflojará las riendas y dejará marchar a Géminis, que, aunque herido, se sentirá contento de recuperar la libertad después de esta dictatorial experiencia amorosa.

GÉMINIS – SAGITARIO

Al igual que todas las parejas formadas por signos que se encuentran en las antípodas del zodiaco, esta implica a dos nativos en una relación fundamentada sobre la armonía de los contrarios amor-odio; sin embargo, existen auténticas posibilidades de éxito. Estos signos móviles, Géminis y Sagitario, son ante todo muy buenos amigos: turbulentos y habladores, les gusta el movimiento y la libertad, tienen muchos intereses comunes y se sienten atraídos por viajes y experiencias muy variados. Por tanto, tienen muchas cosas que contarse y experimentar, y no corren el riesgo de aburrirse juntos. Físicamente más exuberante, Sagitario arrastra a Géminis a decenas de aventuras y le transmite la cálida inocencia de su gran entusiasmo, fundiendo como la nieve bajo el sol su desapego frío y racional; por su parte, Géminis, mentalmente inquieto, divierte a su compañero con sus inagotables invenciones y aviva su imaginación enseñándole a la vez a ser menos ingenuo. En esta pareja luminosa y vibrante, se establece inmediatamente un clima de alegre camaradería que no se debilita con el paso del tiempo: saben ser amigos, cómplices, amantes y jugar juntos incluso después de muchos años de intimidad. Al no ser ninguno de los dos demasiado celoso, las probables infidelidades mutuas no se viven de manera dramática, y cada uno se siente contento por conservar una libertad, incluso virtual, que le permite una huida estratégica, aunque sólo sea para comprobar que no está preso. Cada uno respeta la libertad del otro y otorga mucha importancia a la suya, sin dar nunca pruebas de tendencias autoritarias o posesivas

(excepto en el caso de que existan valores de Tauro o de Escorpio), puesto que están juntos por placer y no por obligación. Así pues, cuando la felicidad de estar juntos deja de existir, la relación se termina sin demasiado dramatismo, pero la mayor parte de las veces es duradera y próspera; incluso si el matrimonio no forma parte de sus objetivos principales, esta pareja decide tarde o temprano crear un hogar juntos, un poco como un juego, e igualmente acaba formando una familia.

GÉMINIS – CAPRICORNIO
He aquí una pareja altamente improbable, que sólo consigue superar el periodo de prueba en escasas ocasiones. El signo de Géminis, regido por el delicado Mercurio, representa la despreocupada inconstancia de la juventud; mientras que el signo de Capricornio, gobernado por el austero Saturno, representa la sabiduría de la vejez, adquirida a costa de grandes dificultades. Si Géminis es un eterno adolescente, Capricornio es serio, incluso de niño, y se implica como un adulto. Ambos pueden encontrarse a medio camino: el mercuriano verá en el saturniano un compañero potencial, un gran apoyo y una referencia dignos de crédito, mientras que Capricornio hallará en la ingenuidad del otro una bocanada de aire fresco, que le permitirá sentirse más ligero. Si en este encuentro surge el amor, Géminis asumirá, con gestos adorables y numerosos caprichos, un papel de niño, al cual hay que proteger y corregir cuando sobrepasa sus límites; Capricornio

será un espectador huraño, pero fascinado por tan encantadoras manifestaciones, siempre dispuesto a dar reprimendas y tirones de orejas. Está claro que las cosas no pueden durar así demasiado tiempo, y los dos se darán cuenta de ello con bastante rapidez. La seriedad de Capricornio, su incapacidad para disfrutar del momento despreocupadamente y su materialismo, que no le permite nunca dejar de ver pérdidas y ganancias, aburrirá pronto a Géminis, a quien le gusta la improvisación y cambiar de idea en el último minuto. Capricornio perderá la paciencia ante la inconstancia de Géminis, cuya alergia natural a afrontar las responsabilidades se opone directamente a los dictados saturnianos que hacen del sacrificio y la responsabilidad una razón de vida. Tampoco se entienden desde el punto de vista sexual: Capricornio va directamente al grano, mientras que Géminis, mucho más refinado, necesita unos estímulos más sutiles. Puede existir una hermosa relación en el plano intelectual si ambos son lo suficientemente abiertos como para aprender uno de otro; en la mayor parte de los casos, el amor dura poco.

GÉMINIS – ACUARIO

El Aire es el punto común de estos dos signos, que se encuentran entre los más eclécticos y brillantes del zodiaco. Una historia de amor entre ellos sólo puede ser extraordinaria y generalmente da unos resultados espléndidos. Cuando estos dos signos se encuentran, se establece espontáneamente una simpatía recíproca

que evoluciona con rapidez hacia una amistad resplandeciente y viva, fundamentada en una afinidad de gustos e intereses, un hermoso intercambio de ideas y de desafíos intelectuales, puesto que tanto Géminis como Acuario ocupan un lugar privilegiado en el dominio de la originalidad y lo imprevisto. El interés por el otro no decae nunca y su entusiasmo siempre es creciente: de esta forma, la amistad se desliza progresivamente hacia el amor sin que ellos se den apenas cuenta. Este amor excluye la pasión y cualquier exceso emocional y sentimental, puesto que se trata de la unión de dos espíritus libres que se comprenden y se estimulan mutuamente, de dos individualidades que necesitan conservar su espacio de libertad y que no piensan nunca en someter o poseer de manera exclusiva a la persona amada, sino que buscan compartir valores y opiniones, y avanzar juntos en igualdad de condiciones para experimentar simultáneamente los momentos de exaltación. Para ellos, el sexo no es la sal del amor, sino más bien su seductor corolario, lo que no impide que su vida íntima sea muy agradable, y ambos son lo suficientemente desenvueltos y fantasiosos para no caer en la repetición; si tuviera que existir la transgresión, no suscitaría desde luego reacciones dramáticas. En Acuario, que es un signo estable, el (o la) Géminis encuentra una referencia que le da seguridad sin aprisionarlo y que sabe tolerar algunos de sus caprichos. Acuario halla en Géminis el compañero ideal, ni rutinario ni previsible, una pareja que no pretende reprimir su necesidad de libertad. De esta forma la relación perdurará con una constante renovación y evolucionará al mismo ritmo que los dos miembros de la pareja. El matrimonio y la familia no son su principal preocupación, y se trata más bien de elecciones conscientes y libres.

GÉMINIS – PISCIS

He aquí una pareja situada bajo el signo del desorden y que puede rayar el auténtico caos.

Ambos son signos móviles, y dan origen a una relación extremadamente caprichosa, llena de contradicciones: las numerosas diferencias que existen entre estos temperamentos se revelan como un factor de complicación más que como un estímulo. Se trata de dos personalidades inaprensibles, lo que no ayuda mucho cuando se pretende formar unas referencias sólidas: los frecuentes altibajos, al igual que los cambios de humor de ambos, impiden que se establezca una corriente de confianza mutua. Los Piscis evolucionan en un universo impreciso y fluctuante; oscilan entre periodos de exaltación y momentos de pesimismo, aunque tienen inclinación por las emociones y los sentimientos absolutos; se encuentran en las antípodas de los Géminis, irónicos, escépticos, distan-

tes, para quienes todo es relativo y a los que les cuesta mucho admitir sus propias debilidades sentimentales. Géminis no podrá satisfacer la necesidad de ternura y protección de Piscis, tan afectuoso y sensible, e interpretará como una peligrosa trampa todas las tentativas de su pareja para rodearlo con un halo de dulzura. Tampoco podrá comprender la ansiedad o el rechazo afectivo, cuyo único efecto consiste en ponerlo más nervioso de lo normal. Además, la relación tampoco se sostiene en el aspecto práctico, puesto que, a pesar de su buena voluntad, Piscis es desordenado y necesitaría a alguien que le marcase el camino; sin embargo, los Géminis tampoco son seres perfectos, ya que, aunque son lúcidos y brillantes intelectualmente, están poco dotados para la precisión y tienden a descuidar los detalles prácticos. Así pues, cuando se trata de tomar una decisión, uno de los dos está siempre distraído, o incluso completamente ausente, en un aislamiento estratégico; y si los dos viven juntos, se arriesgan a caer rápidamente en el caos, a menos que existan correcciones radicales procedentes de otros signos. Sin embargo, una relación tan precaria puede resistir durante mucho tiempo a las dudas, a las evasiones y a las reflexiones, pero corre el riesgo de estancarse.

Las combinaciones del Sol y de la Luna

Sol en Géminis – Luna en Aries

Estos individuos tienen un temperamento ansioso, imprudente, indisciplinado y muy extrovertido. Les gusta conversar y saben encantar a los demás con su estilo audaz y provocativo. En el terreno sentimental son directos pero inconstantes, y su relación no sobrepasa nunca un estado superficial. Tanto él como ella son brillantes seductores, y a ambos les gusta acumular aventuras. Él busca una compañera dinámica, orgullosa y capaz de imponerse. Ella es un espíritu independiente y no está hecha para las tareas tradicionales.

Sol en Géminis – Luna en Tauro

Hedonismo e inteligencia se unen para formar un carácter menos inestable y más concreto que el del Géminis estándar. Pragmáticos, estos individuos son capaces de mostrar sentimientos profundos y duraderos, en los que la necesidad de seguridad y de afecto tiene un cierto peso. Ella es más maternal, menos impertinente e inconstante, y desea un hombre capaz de satisfacerla tanto material como intelectualmente. Él busca una compañera afectuosa y dotada de sentido común, serena y sensual.

Sol y Luna en Géminis

Las cualidades racionales quedan resaltadas en esta combinación. Se trata de personas vivaces y comunicativas, simpáticas, brillantes y siempre juveniles, pero muy inconstantes en lo que concierne a sus sentimientos. Encantadoras y despreocupadas, tienen mucha suerte en el amor, pero no son capaces de profundizar y establecer una relación duradera, puesto que para ellas todo es un juego. Ella es desenvuelta, ocurrente y poco maternal; él, diplomático y ecléctico; ambos sienten alergia por las responsabilidades y un punto de ambigüedad los convierte en infieles y poco sinceros.

Sol en Géminis – Luna en Cáncer

Tienen un temperamento contradictorio e inquieto, y desbordan fantasía y sensibilidad, pero también incertidumbre. Eternamente inmaduros, son individuos menos superficiales que los Géminis estándares, pero más ansiosos y pasivos, constantemente divididos entre su intelecto y su corazón. Él necesita una compañera protectora y dulce, capaz de atenuar sus tormentos interiores. Ella, mujer-niña, se adapta con gusto a un compañero que le ofrezca sólidas referencias y sabe ser amorosamente maternal.

Sol en Géminis – Luna en Leo

Esta combinación de dos signos extrovertidos y expresivos da lugar a individuos optimistas y despreocupados, creativos y algo exhibicionistas. Existe en ellos un gran deseo de aparentar y de sentirse admirados, aplican estas pretensiones tanto a la vida como al amor. En el aspecto amoroso buscan un compañero a la altura de sus expectativas, dispuesto a reconocer la «calidad superior» que se les ofrece. Generosa y protectora, ella tiene una gran opinión de sí misma. Él busca una mujer brillante de fuerte personalidad.

Sol en Géminis – Luna en Virgo

En esta personalidad, los valores intelectuales se encuentran ensalzados, en detrimento de los emotivos y los afectivos. Aparentemente se trata de personas alegres y sociables, pero prudentes y controladas en la intimidad; su agudo espíritu crítico se dirige no sólo hacia los demás sino también hacia ellos mismos, y los convierte en inseguros. La concurrencia de ideas, el sentido práctico y el interés prevalecen en las elecciones amorosas. Él busca una mujer eficaz y sobria. Muy racional, ella busca grandes satisfacciones en el trabajo, en la cultura y en el amor.

Sol en Géminis – Luna en Libra

Son personas muy agradables, educadas y comunicativas, que saben introducirse con desenvoltura en cualquier entorno y suscitar simpatía inmediatamente. En el amor, tienen tendencia a identificarse con su pareja, incluso si los sentimientos hacia ella son un poco fríos. Estas personas no han nacido en absoluto para la soledad. Él busca una mujer amable, cooperadora y con gustos refinados. A ella le gustan las apariencias y la vida mundana, y posee un auténtico talento que le permite hacerse apreciar.

Sol en Géminis – Luna en Escorpio

En esta combinación, el carácter despreocupado de los Géminis se tiñe de matices sombríos e introvertidos, y gana en intuición, firmeza y profundidad. Son individuos fascinantes pero complicados, astutos y que saben utilizar su inteligencia con habilidad. En el amor suelen triunfar, pero pueden tener cierta tendencia a utilizar a su pareja y supeditarla a sus pretensiones eróticas y a ciertos juegos inquietantes. Ella tiene una personalidad intensa, magnética y, a menudo, atormentada. Él se siente atraído por las mujeres difíciles, sensuales e incluso celosas.

Sol en Géminis – Luna en Sagitario

Muy extrovertidos y confiados, poseen un temperamento contrastado que oscila entre la astucia y la ingenuidad, el idealismo y el escepticismo. Son personas simpáticas, cordiales y generosas, que tienen numerosos puntos de interés, se sienten inclinadas a la generosidad y prontas al arrebato amoroso. Buscan establecer una unión paritaria, de camaradería con su pareja; la relación ideal debe ser libre y sobre todo nunca repetitiva. Él busca una mujer dinámica, deportista y que tenga unos sentimientos nobles. Ella es emprendedora y aventurera, pero no menosprecia el confort.

Sol en Géminis – Luna en Capricornio

Es una combinación racional, dotada de grandes cualidades intelectuales, pero bastante árida desde el punto de vista emocional. El placer por el juego es mínimo y su vertiente seria se amplifica, al igual que su sentido de la responsabilidad; son individuos muy fiables en el amor aunque sean poco cálidos. El sentido común guía cada decisión y la pasión está ausente, puesto que la pareja se elige después de una minuciosa evaluación. Él busca una compañera tranquila, que no sea caprichosa. Ella, cerebral y autónoma, aspira a encontrar un compañero que no le dé problemas.

Sol en Géminis – Luna en Acuario

Comunicación, desenvoltura y amplitud de espíritu son las cualidades esenciales de estos individuos, originales y creativos, pero carentes totalmente de realismo. Existe en ellos un gran desapego emotivo, y una acentuada necesidad de «refinar» los sentimientos y las pasiones. El amor se vive como la unión de espíritus parecidos. Les resulta muy difícil adaptarse a una relación de tipo tradicional, puesto que la libertad individual se antepone a cualquier otra cosa. Él desea una mujer moderna, que posea cualidades intelectuales. Extrovertida y excéntrica, ella busca una relación igualitaria.

Sol en Géminis – Luna en Piscis

Son personas muy inestables, en equilibrio permanente entre la razón y la fantasía. Tienen una gran fuerza de voluntad; sin embargo, son incoherentes y tienden a la dispersión, a la ansiedad y al nerviosismo. Por el contrario, establecen buenas relaciones con los demás y están dotadas de la intuición necesaria para comprenderles. El amor nace sobre la ola de la emoción, pero queda tamizado por el miedo a una implicación demasiado profunda. Él busca una mujer etérea, a la que pueda admirar desde lejos. Ella, tierna y soñadora, necesita un hombre que esté dispuesto a seguirla en sus ensoñaciones.

CÁNCER
Y EL AMOR

Características de Cáncer

Periodo: del 22 de junio al 22 de julio
Elemento: Agua
Cualidad: cardinal, femenino
Planeta: Luna
Longitud zodiacal: de 90° a 120°
Casa zodiacal: cuarta
Color: blanco
Día: lunes
Piedra: perla
Metal: plata
Flor: nenúfar
Planta: sauce
Perfume: lila

ELLA

Dominada por la Luna, la mujer Cáncer es dulce, muy femenina, sentimental y sensible. Afectuosa, tierna y maternal, es sin embargo un poco caprichosa, lo que suele convertirla en imprevisible y enigmática. El amor está casi siempre en el centro de sus pensamientos, no sólo porque padece de un incurable romanticismo, sino porque también sueña a menudo en consagrarse a la familia y a los niños. Dotada de un encanto delicado, capta la atención de los demás sin ostentación y sabe implicarlos emocionalmente. Puede ser tanto la mujer-niña lunática y fantástica que busca protección y, por consiguiente, necesita un compañero más tranquilo y ponderado que la guíe y le dé seguridad, como (más tarde) la que desempeñe el papel de mujer maternal, afectuosa y previsora que rodea a su pareja con un brazo protector, algunas veces asfixiante. Ella desea ardientemente una unión sólida y duradera que le permita llevar a cabo sus tradicionales sueños; sin embargo, su lado caprichoso y melancólico puede dominarla a menudo, ostensiblemente cuando no consigue identificarse con la figura de madre y pone en entredicho su papel de mujer de manera más o menos consciente. Egocéntrica y susceptible, se siente herida fácilmente y entonces, ultrajada, se refugia en su caparazón. Muy emotiva, razona con el corazón, y si se siente decepcionada o maltratada, estalla en lágrimas, se enfurruña y provoca escenas interminables. A menudo tímida, no se abre más que con aquellas personas de las que se fía totalmente y es capaz de darse a ellas con generosidad y devoción.

ÉL

En los hombres, la huella maternal permanece casi siempre indeleble, y, en los casos más equilibrados, si una buena relación con la madre ayuda a desarrollar un comportamiento afectuoso y protector, esto puede dar lugar a un individuo para quien ninguna mujer es comparable a su madre o a un hombre incapaz de liberarse de la influencia de esta. Sea como sea, el hombre Cáncer está dotado de unas antenas muy refinadas y de una sensibilidad algo femenina que lo convierte a primera vista en pasivo y poco emprendedor, pero que, en la intimidad, conquista a numerosas mujeres, puesto que sabe comprenderlas realmente, con el corazón y no sólo con la cabeza. También para él, amar significa compartir una casa y formar una familia, pero no tiene demasiada prisa

puesto que, desconfiado por naturaleza, teme equivocarse o herirse. Su elección puede durar toda la vida y se revela como un compañero enamorado, atento con la mujer a la que ama, de quien adivina su humor, sus necesidades y sus deseos. Sin embargo, hay que abordarlo con delicadeza, puesto que, si se siente relegado, se encierra en sí mismo o se convierte en una persona desabrida. Su ritmo es lánguido e indolente, pero se trata de un amante sensual, refinado e imaginativo, muy atento al humor y a las exigencias de su pareja. Necesita una compañera afectuosa, sensible y maternal que le dé mucho amor, pero que también esté dispuesta a ocuparse de las tareas prácticas que tanto le aburren. Al igual que la mujer, no es especialmente celoso y sólo teme por su bienestar conyugal; por esta misma razón, tanto él como ella son bastante fieles y sólo traicionan en su imaginación.

CORAZÓN, UNIÓN, RUPTURA

En el arte de la seducción, los Cáncer no tienen nada que envidiar a nadie, pero en general prefieren dejarse conquistar antes que verse obligados a atacar; son capaces de dar a entender con sus lánguidas miradas que el trabajo de seducción ha dado en el blanco. Al ser extremadamente sensibles, hay que evitar totalmente los comportamientos provocativos o audaces, en particular con el hombre Cáncer, que detesta a las mujeres inconformistas y emancipadas. Debe probarse un acercamiento progresivo y delicado, y mostrarse suave y comprensivo; con ella, los pequeños regalos románticos funcionan muy bien, pero también él resulta sensible a las demostraciones de cálida ternura. Hágale confidencias, cuéntele sus sueños y emociones, intentando acentuar su soledad, su necesidad de afecto y atención, pero sin exagerar, puesto que su intuición le permite detectar inmediatamente cualquier mentira. Se necesita paciencia para inducirle a que se abra (y para adaptarse a su humor), pero una vez que él (o ella) estén convencidos de su buena fe puede nacer una relación a la que consagrarán toda su energía.

Necesitará, sin embargo, estar dispuesto a compartir el deseo de fundar un hogar y una familia; por otra parte, Cáncer no envuelve en el misterio sus objetivos, y si esto no le conviene, es preferible cambiar inmediatamente de camino. Si, por el contrario, usted comparte esta visión del amor, podrá contar con una pareja desbordante de atenciones, que no tiene ninguna vergüenza en mostrarlas, sino que, por el contrario, lo hará cómplice de ellas induciéndole a compartirlas. Por su parte, ella le llenará de ternura y de cuidados, como una dulce muchacha o una madre protectora. Ambos necesitan una presencia sólida que les dé seguridad y que les ayude a orientarse en la vida cotidiana, pero que esté también disponible afectivamente sin asperezas ni escepticismos; una persona con quien compartir las fantasías y las vibraciones

íntimas, así como placeres más concretos. Delicadamente hedonista, a Cáncer le gusta la comodidad y goza de una sexualidad delicada e intensa. Los niños son un hecho ineludible en una pareja con un Cáncer, pero si se trata del padre, ¡será necesario no descuidarlo! Su tierna media naranja deberá ser para él una segunda madre.

Si usted quiere abandonar este torrente de devoción, hágalo con delicadeza, puesto que, además de percibir los estados de ánimo, Cáncer se siente a menudo ofendido; se enfurruña, rehúsa hablar y llora desconsoladamente. Cuando está muy enfadado, puede vengarse con comentarios muy desagradables, pero nunca amenazará con abandonar a su pareja, por lo que resulta muy difícil liberarse de los brazos de un Cáncer. Con él, la táctica más fiable consiste en hablar mal de su madre, o mostrarse interesado por asuntos ajenos a la pareja. Con ella, esta especie de cordón umbilical es todavía más fácil de cortar: será necesario mostrarse duro e insensible, rechazar el matrimonio o tener hijos. Pero en cualquier caso, lo más probable es que tendrá que ser usted quien rompa definitivamente.

RELACIÓN
CON LOS OTROS SIGNOS

CÁNCER – ARIES

El lunar, delicado y ligero Cáncer comparte muy pocas cosas con el apasionado Aries; la unión entre ambos no es una de las más sencillas (a menos que intervengan las indispensables correcciones astrales procedentes de otros signos). Muy impetuoso y emprendedor, Aries se expresa mediante la acción, con una incesante secuencia de iniciativas, en completa oposición con el indolente Cáncer, retraído en su vida interior, la cual fluctúa de acuerdo con sus impresiones y sus emociones. El dinamismo de Aries tiende hacia la novedad, el descubrimiento y la emancipación, mientras que la nostalgia de Cáncer intenta conservar, recordar y revivir atmósferas mágicas del pasado, al cual se siente fuertemente unido. A Cáncer, que suele ser pacífico, no le gustan los ambientes conflictivos y busca, por el contrario, establecer en su entorno un clima de protección, comodidad y afecto. Sin embargo, a Aries le encanta luchar y rivalizar abiertamente, por lo que se aburre con la calma excesiva, que no le estimula en absoluto. Si se inicia este tipo de relación, llevará implícita una serie de divergencias en la vida cotidiana, puesto que Aries invierte su tiempo en correr detrás de todas las novedades y las empresas más entusiastas,

pero este ritmo intenso supone un auténtico tormento para Cáncer, que prefiere tomarse su tiempo para moverse con calma y a quien le gusta recrearse en la ociosidad y los placeres contemplativos. Enfrentado a esta angustia, Aries pierde inmediatamente la paciencia ante las necesidades de este compañero demasiado complicado para él. Por tanto, es improbable que se establezca entre ellos un buen entendimiento: la mujer Aries parece demasiado independiente y audaz a los ojos del hombre Cáncer, además de muy alejada de la figura maternal y protectora; el hombre Aries, aunque vigoroso, es demasiado brutal para entender los delicados matices de la mujer Cáncer. En cualquier caso, de las dos combinaciones, es esta última la que tiene más posibilidades de éxito, gracias a la paciente devoción de la mujer Cáncer, capaz de adaptarse y de actuar como una madre atenta del indisciplinado y atormentado Aries.

CÁNCER – TAURO

Existen muchos factores que armonizan estos dos signos, que pueden formar una pareja sólida y homogénea. El hombre Cáncer es muy sensible al encanto femenino y la mujer Tauro, dulce y sensual, ejerce sobre él una influencia tranquilizadora.

A los ojos del tímido Cáncer, esta mujer aparece como la tierra que el marino atisba en el horizonte y le da la impresión de estar ya de vuelta a su casa, un refugio donde podrá apaciguar su ansiedad y llevar a cabo sus sueños. Cuando una mujer Cáncer encuentra a un hombre Tauro, se sorprende de inmediato por su calma, su amabilidad y su ponderación, que dejan sin embargo entrever una masculinidad fuerte; efectivamente, la suavidad con la que él sabe tratarla no oculta su carácter pragmático y realista, que se revela como un apoyo inestimable para esta tierna criatura lunar carente de sentido práctico. Entre ambos, el amor no nace como un rayo en un cielo sereno, puesto que ni uno ni otro tienden a la improvisación, sino que crece poco a poco como una planta bien regada que se enraíza y florece exuberante. La relación entre Cáncer y Tauro brinda, en general, excelentes probabilidades de duración, ya que se basa en un buen equilibrio entre lo sentimental y lo material; Cáncer tiene una sensibilidad y una vida interior notables, pero no desdeña los bienes materiales, que es lo que define a Tauro. Este último es un materialista con mucho sentido común, que, sin embargo, tiene en cuenta los sentimientos, situados en primer lugar en la escala de valores de Cáncer. Así pues, el vínculo prosperará y perdurará sin prisa, pero apuntando seguro hacia el tradicional objetivo del matrimonio y la familia.

Ambos signos son de tendencia conservadora, no tienen ninguna duda sobre la meta y desean poseer una casa hermosa y confortable donde vivirán una existencia serena, no exenta de placeres y que se verá alegrada por el nacimiento de uno o varios niños. Incluso si la delicada sensibilidad de Cáncer no siempre se ve comprendida por el prosaico Tauro, ambos forman finalmente una pareja casi indestructible.

CÁNCER – GÉMINIS

La pareja formada por estos dos signos no es de las más duraderas, puesto que ambos son infantiles y necesitan un compañero que les ofrezca una referencia sólida, un papel que, tanto uno como otro, difícilmente asumen con constancia. Cáncer es el más estable de los dos, por lo menos en lo que concierne a las aspiraciones, pero su emotividad lo convierte en ansioso, y busca permanentemente una protección que el inconstante Géminis es incapaz

de darle. Si se mantienen en el noviazgo, la pareja puede funcionar, puesto que son tiernos y despreocupados y pueden jugar al amor pasando juntos el tiempo sin muchos problemas. No obstante, tarde o temprano, las diferencias de carácter se manifiestan y ponen la relación en peligro. Si la mujer es Cáncer, su sentimiento maternal le hará creer que, si Géminis se «educa» correctamente, puede perder esta capa de inconstancia y asumir de mejor gana sus responsabilidades: una piadosa ilusión que los hechos desacreditan rápidamente, lanzando a la mujer Cáncer a una depresión profunda acompañada de abundantes lágrimas. Pero él, indiferente a la emoción, podría revelarse incluso como bastante cruel y reírse de ella, y llegar incluso a desear huir definitivamente de su pareja. En este punto, o bien ella posee una paciencia que la conducirá directamente a la santificación, o bien dejará marchar a Géminis sin esperanza de que vuelva. En caso contrario (hombre Cáncer y mujer Géminis), la situación es casi idéntica, puesto que el hombre busca una compañera que lo mime y se ocupe de él, dispuesta a aceptar sus cambios de humor y a respetar

sus momentos de introspección silenciosa; sin embargo, esto es muy difícil de obtener de una mujer Géminis, divertida pero sólo cuando ella tiene ganas, demasiado racional para entender los estados de ánimo de la pareja, y excesivamente locuaz para conseguir guardar silencio. Si no intervienen fuertes valores astrales sobre estos signos, los Géminis tienen una marcada tendencia a establecer relaciones definitivas muy tarde y no estarán dispuestos a satisfacer los deseos de hogar y familia de los Cáncer; además, cuando lo hacen, dejan a su pareja la mayor parte de tareas que nacen de esta elección.

CÁNCER – CÁNCER

Como en casi todas las parejas formadas por personas muy parecidas, los inicios son fáciles, pero el tiempo pone límites a la relación; al principio, una corriente de comprensión instintiva circula entre ambos Cáncer, y los dos se sienten conmovidos por la belleza de una puesta de sol a orillas del mar o por el romanticismo de la luna llena; se emocionan con un gatito perdido, aprecian el placer de una hermosa pieza musical, así como una deliciosa cena y los juegos eróticos fantasiosos y refinados. Interiormente, también vibran con las mismas emociones, se sienten libres para intercambiar recuerdos y nostalgias, para confesarse sus ansiedades y sus miedos e imaginar juntos un porvenir de color de rosa; la magia de su imaginación les permite crear un clima encantado y alegórico que les lleva a vivir den-

tro de un sueño durante un tiempo. Pero, tarde o temprano, la realidad y sus prosaicas necesidades vienen a llamar a su puerta y el despertar no resulta demasiado agradable. Cada uno espera que el otro sea un punto de apoyo, que le dé fuerzas para deshacerse de la inercia y consagrarse a la ardua tarea de organizar la vida en común; entonces el encantamiento se rompe, pues ninguno quiere ser el primero en moverse, confiando en la buena voluntad del otro; como resultado final, nada cambiará y el desorden, a veces muy pintoresco, empezará a crecer. Las buenas intenciones de los primeros tiempos acaban por fracasar ante la realidad y ambos empezarán a refunfuñar y a acusarse mutuamente de pereza e ineptitud. Si uno de los dos puede beneficiarse de las adecuadas correcciones planetarias en los signos de Tierra, él o ella tomará la situación en sus manos y asumirá la responsabilidad de servir como referencia; en caso contrario, se corre el peligro de que arraigue la irritación, que poco a poco se transformará en rencor. Para un Cáncer, ya sea hombre, ya mujer, es muy difícil afrontar una separación afectiva y este signo es capaz de arrastrar la relación, aunque con mucho malestar, durante largos periodos; en este caso, la ruptura sólo puede proceder de la magia de un nuevo amor.

CÁNCER – LEO

Leo y Cáncer, es decir, Sol y Luna, los astros que rigen los respectivos signos, están enlazados por un aura mítica que plantea sin embargo una serie de interrogantes. La luz del Sol abraza el día, la de la Luna ilumina la noche. Ambos son, pues, antitéticos y complementarios. Pero la luz de la Luna no es más que un reflejo de la solar, marcada por la supremacía de la estrella diurna; así también, Leo domina esta pareja y se impone por su autoridad, tan cálida como despótica. En caso de que el amor surja entre una mujer Cáncer y un hombre Leo, la relación podría ser más fácil, casi espontánea: ella asumiría el papel de mujer-niña que necesita guía y protección, y él el de padre-patrón, generalmente autoritario, dispuesto a corregir sus fantasías sentimentales, pero también a perdonar, magnánimamente, algunos caprichos. Todo irá bien mientras nadie sobrepase los límites. Ella será una compañera devota y desbordante de admiración, pero evitará siempre cualquier demanda excesiva, puesto que un Leo demasiado domesticado corre el riesgo de convertirse en aburrido y triste, como los que se ven languidecer en las jaulas de los zoológicos. Él evitará imponer su voluntad en cualquier circunstancia para no asfixiar el individualismo de su compañera, delicada y vulnerable, pero que no está dispuesta a verse relegada a un segundo plano. La opción contraria es más problemática, si el papel lunar y femenino lo asume el hombre Cáncer, y el papel solar y masculino, la mujer Leo; la capacidad del hombre para renunciar a la situación de dominio es muy limitada, incluso aunque se trate de un Cáncer dulce y soñador. Ciertamente, una compañera que toma la responsabilidad de dirigir la relación puede resultarle conveniente, y la mujer Leo, excelente organizadora, está a la altura de las circunstancias; pero el discurso cambia cuando se trata de ceder el poder.

No se puede olvidar que Cáncer es una persona tradicional que no desea vivir al lado de una mujer demasiado emancipada: imagine pues una leona reivindicando abiertamente el cetro de la supremacía...

CÁNCER – VIRGO

El encuentro entre el Agua y la Tierra es siempre fecundo y portador de alegría duradera. Esta pareja no es una excepción, incluso si, a primera vista, se puede juzgar a Virgo como demasiado racional y controlador para compartir con Cáncer todas las emociones, ansiedades y nostalgias. Al principio, puede ser que ambos nativos no muestren una excesiva simpatía recíproca, a causa de insuperables diferencias de estilo y de acercamiento a la existencia; pero si tienen la oportunidad de conocerse mejor, pueden descubrir tesoros ocultos tanto en uno como en otro. Por su lado, Virgo, hombre o mujer, es cerebral, calculador y un maniático de los detalles, pero siente una gran necesidad de aprobación y puede encontrar mucha en el enamorado Cáncer; además, cuando ama, es capaz de mil pequeñas atenciones que indudablemente halagan el egocentrismo de Cáncer. No se debe infravalorar las indudables cualidades prácticas de Virgo, un auténtico don caído del cielo para Cáncer, que no posee casi ninguna.

Desde el punto de vista sexual, la dulzura y la fantasía de Cáncer pueden ayudar a Virgo a superar su timidez y su reserva emotiva para experimentar las alegrías de una perfecta unión de cuerpo y espíritu.

Lógicamente, se necesitará una cierta disponibilidad por ambas partes para que se encuentren y toleren sus mutuos defectos; Virgo deberá evitar las críticas demasiado exageradas, susceptibles de herir la sensibilidad de Cáncer. Por su parte, este deberá controlar los caprichos y las explosiones de mal humor que son tan desagradables como una bocanada de humo en la cara del sobrio Virgo. Pero como ambos buscan la seguridad y están dispuestos a ofrecerla, aunque sea por medios diferentes, no es de extrañar que se establezca entre ambos nativos una relación segura y cooperativa, incluso si carece de una pasión devoradora; de esta manera se forma una pareja en la que el hombre (o la mujer) Cáncer será el polo sentimental y emotivo, y el hombre (o la mujer) Virgo tendrá un papel técnico y práctico.

Es una relación que, con el tiempo, demostrará que casi siempre triunfa.

CÁNCER – LIBRA

Entre los nativos de estos dos signos cardinales el entendimiento no es tan fácil como cabría imaginar. La Luna y Venus, astros que rigen respectivamente Cáncer y Libra, viven en una buena armonía recíproca y deberían favorecer la comprensión pero, entre Agua y Aire, no existe una gran identidad de estilos y vibraciones. Cáncer y Libra son románticos desde muy jóvenes; cultivan el deseo de un gran amor, pero allí donde Cáncer es un romántico visceral sometido a oleadas sentimentales, Libra es más esteta y formal, y su comportamiento es bastante distante. Ambos van en busca de la armonía y la paz, que, para Cáncer, se manifiestan en el confortable nido-refugio y la calidez de los afectos familiares, mientras que, para Libra, están representadas por las relaciones humanas serenas y un delicado equilibrio entre espíritu y corazón. En resumen, están dotados de sensibilidades diferentes que pueden no aparecer en la euforia del enamoramiento, pero que afloran inexorablemente en una relación estable. Los inicios son de color rosa, pues ambos creen haber encontrado al hada o al príncipe encantado de sus sueños: Cáncer es todo ternura y miradas lánguidas, Libra es conciliador y perfecto. Pero tarde o temprano, Cáncer se deja llevar por los repentinos cambios de humor típicos de su carácter: calla, se muestra huraño y ausente y no sabe lo que le está pasando. Y Libra se angustia al percibir una falta de armonía que emana de su «media naranja»; además, su espíritu racional y controlado le lleva a desaprobar las manifestaciones de desordenada emotividad características de Cáncer; por otra parte, este defiende, por encima de

todo, su intimidad y prefiere el ámbito privado a la vida pública, una forma de vida en las antípodas de Libra, que necesita relaciones sociales y no soporta encerrarse entre cuatro paredes. A corto plazo, se presentan muchos interrogantes y numerosas contradicciones en esta relación y es necesaria la intervención de elementos astrales beneficiosos que permitan un salto decisivo y cualitativo.

CÁNCER – ESCORPIO
El Agua es el denominador común de esta relación: la de Cáncer es limpia y viva, y la de Escorpio, turbulenta y subterránea, pero ambos son fecundos, creativos y desbordan vitalidad. Entre Cáncer y Escorpio existe una correspondencia instintiva, una atracción irresistible que los acerca como un imán y los une irremediablemente. Se da en todo ello un componente de fatalidad, casi inevitable cuando un plutoniano está presente (Escorpio), y

que hace que todo tenga una connotación atormentada y complicada; sin embargo, a cambio, se penetra en un mundo totalmente desconocido, una especie de bosque mágico lleno de trampas, pero también de tesoros. Cáncer, gracias a su intuición, percibe esto inmediatamente: de apariencia frágil y vulnerable, no siente miedo de acercarse al peligro, seducido por esta penetrante mirada que le atrae hacia un violento torbellino de emociones sentimentales y eróticas. Por su parte, Escorpio no es indiferente al tierno pero sensual encanto de Cáncer, que brilla con mil fuegos diferentes; entreví la capacidad de devoción y afecto que podría iluminar su oscuro universo y salvarlo de su íntimo tormento. Se crea un lazo intenso, no desprovisto de dificultades, pero extremadamente fascinante. Cáncer parece destinado al papel de víctima de este predador que es Escorpio y, en efecto, este último impone casi siempre su voluntad de hierro a su

pareja, más pasiva, tiranizándola a veces con su carácter destructivo; pero, a fin de cuentas, Cáncer consigue encajar bastante bien, puesto que sabe que Escorpio necesita ahogar su angustia en un agua vivificante, como la que corre por sus venas. El erotismo desempeña un papel muy importante en esta pareja, siempre sometida a un tira y afloja entre la vida y la muerte, que encuentra su expresión culminante en el sexo; cuando las asperezas y las complicaciones de esta relación se hacen excesivamente pesadas, el vínculo sexual puede convertirse en predominante.

CÁNCER – SAGITARIO

He aquí una pareja con muy pocas expectativas en apariencia y cuya evolución es, por el contrario, feliz y duradera. A primera vista, efectivamente, no existe ninguna compatibilidad entre el Agua de Cáncer y el Fuego de Sagitario, entre los emotivos y delicados matices de los «hijos de la Luna» y los impulsos inflamados y calurosos de los «protegidos» de Júpiter y de Neptuno (en este caso Sagitario); de hecho, si el encuentro tiene lugar en la juventud, es poco probable que dure. En esta fase, Cáncer comienza a salir apenas de su caparazón y todavía está marcado por un infantilismo caprichoso, así como por la timidez, la pereza y la desconfianza. Sagitario, por el contrario, se lanza inmediatamente y con ardor a la aventura de la vida; hay muchos amigos, proyectos, actividades y amores precoces. Es, pues, natural que los Cáncer consi-

deren presuntuosos, ruidosos e invasores a los Sagitarios, que, a su vez, encuentran a los Cáncer horriblemente quejicas y molestos. Por otra parte, es preferible así, puesto que la relación está destinada a durar poco. Cáncer será infeliz, pero no se resignará fácilmente a perder la presa, y será Sagitario quien deba cortar los lazos cuando los amorosos brazos del otro amenacen su libertad. Sin embargo, con el transcurso del tiempo, las cosas pueden evolucionar, y de forma importante; si ambos nativos se encuentran cuando la exuberancia de Sagitario está debilitada y su sed de experiencias, apaciguada, Cáncer tiene entonces posibilidades de echarle el lazo y hacer que acepte las perspectivas de una vida familiar serena y tranquila. En el fondo, incluso Sagitario siente un profundo respeto por la tradición y la idea de retirarse en un ambiente cálido y confortable, alegrado por uno o varios niños (y quizá numerosos amigos) en compañía de una pareja afectuosa, sensible y llena de atenciones como Cáncer, no le disgusta del todo. Así es como los dos nativos viven juntos de manera próspera, ayudados por un gusto común por el confort y los placeres, entre los que la buena mesa no es el menos importante.

CÁNCER – CAPRICORNIO

En teoría, las parejas formadas por signos opuestos deberían ser las mejores, puesto que son dos «mitades» que se unen en una síntesis armoniosa e indestructible. Sin embargo, en la práctica, la química no siempre

es fácil, y cada uno de los dos nativos debe estar dispuesto a aceptar sus propios límites y a reconocer en su pareja las cualidades que le faltan para complementarse felizmente en la armonía de contrarios. La pareja Cáncer-Capricornio, signos firmemente situados en las antípodas, no desmienten la tradición: basta con decir que Cáncer representa la infancia y Capricornio, la vejez; que la Luna, símbolo del cambio de las emociones, gobierna a los Cáncer, mientras que los Capricornio están regidos por Saturno, símbolo de la severidad racional del deber. El encuentro entre dos personalidades tan distintas no es de los más fáciles, pero ambos tienen mucho que intercambiar y aprender el uno del otro. Para Cáncer, la principal dificultad consiste en derribar la coraza defensiva de Capricornio, anclado en unas posiciones muy prudentes que ceden poco a la ternura y a los sentimientos. Debe recordarse que no se trata de una persona desprovista de sentimientos, sino de alguien que tiene miedo de dejarse ir y de las heridas de la desilusión, y que prefiere avanzar con precaución y controlar cuidadosamente sus emociones. Pero Cáncer posee todas las cualidades para derrumbar sus defensas: un acercamiento suave y lánguido que despierta el sentido de protección, cuidados afectuosos y reafirmantes, así como la promesa implícita de una devoción casi eterna. Capricornio no queda indiferente a las ofertas sensuales hechas por Cáncer, a estos convincentes avances de dejar caer toda contención para descubrir lo mejor del sexo cuando está embellecido por el amor. Todo lo que se ha dicho funciona bien cuando la mujer es Cáncer y el hombre Capricornio; en caso contrario, es posible que el hombre rechace quedar relegado al papel pasivo que le reserve la autoritaria y firme mujer Capricornio.

CÁNCER – ACUARIO

Entre estos dos signos, el entendimiento aparece como una especie de milagro que, cuando se produce, crea un vínculo decididamente fuera de lo común. Cáncer está lleno de recuerdos y nostalgia, y encarna la quintaesencia de la emotividad; por el contrario, Acuario encara con firmeza el porvenir y, como si esto no fuera suficiente, añade un desapego que induce a creer que está inmunizado contra los cambios de humor emotivos. Ninguno de los dos carece de fantasía: ella puede impulsar a Cáncer a parecer un compañero de naturaleza angelical (que por otra parte aparenta estar en las nubes) y Acuario se inventa afinidades idealistas que no resisten los hechos. La cruel realidad puede convertirse pues en un problema en la pareja Cáncer-Acuario: perfectamente a gusto en el mundo imaginario, los dos se encuentran fuera de juego y el uno al otro se pasan las tareas que no tienen ganas de llevar a cabo, sobre todo cuando han de enfrentarse con lo material. Por amor, Cáncer (especialmente la mujer) sí estaría dispuesto a cargar con estos deberes, pero a cambio espera una gran cantidad de afecto y de protección de su pareja y tiene un único deseo: for-

mar un hogar y una familia. La mayor parte del tiempo, Acuario no comparte esta opinión; muy independiente, no soporta las normas y no posee ninguna necesidad acuciante de convertirse en sedentario. Tiene muchos intereses y numerosos amigos, y no le pide a su compañero que los comparta; desea poder practicar sus actividades y frecuentar a sus amistades cuándo y cómo le convenga con gran pesar de Cáncer, que querría disponer del ser amado completa y exclusivamente para él. Desde el punto de vista sentimental tampoco hay demasiado *feeling*, puesto que Acuario se entusiasma rápidamente con una idea; es capaz de mucho altruismo pero no se centra en una sola persona, y lo ideal para él sería poder amar a todo el mundo. No es que sea infiel por naturaleza, pero sus horizontes son muy elevados y vastos. La vida con Acuario puede reservar sorpresas inesperadas, incluso después de meses o años de tranquilidad. ¿Y el milagro? Es necesario que ambos nativos sean «superiores» o, lo que es más sencillo, que intervengan factores astrales en los signos más compatibles.

CÁNCER – PISCIS

Se trata de un encuentro mágico entre dos almas que se parecen y se reconocen inmediatamente: dos signos de Agua que tienen en común una sensibilidad delicada, una gran riqueza de emociones, una intuición excelente y una fantasía infinita. Es una relación compuesta de dulzura y de placeres lánguidos, de abrazos reconfortantes y de tiernas emociones. En el transcurso de la fase inicial de la historia de amor, ya mágica por sí misma, ambos pueden alcanzar las más altas cumbres, donde almas y cuerpos se funden en una armonía total como si fueran instrumentos de música bien afinados. El amor es el medio que les permite sobrepasar las mezquindades de la vida cotidiana y les hace olvidar todo lo demás.

Los dos poseen una capacidad de darse y de sentir para formar un solo ser con la persona amada, lo que confiere una intensidad especial a los sentimientos: incluso en los momentos más apasionados, conservan un estilo poético y delicado. En resumen, estas dos criaturas consiguen vibrar juntas con emociones realmente únicas, como un hermoso sueño que se prolongara indefinidamente, y no necesitan fijarse objetivos, puesto que van en la misma dirección, al encuentro de un destino que les lleva a una comunión total de intenciones y deseos. Mientras los dos signos se encuentran al inicio de la relación y todavía no han construido su nido, todo va perfecto: los problemas surgen cuando deben bajar de su nube encantada para tomar contacto con la realidad, o cuando la relación se establece en forma de pareja o matrimonio. La falta de realismo o de sentido práctico, otra característica común, convierte la organización familiar en difícil y lleva a la pareja a luchar en un desorden crónico que transforma la idílica atmósfera en desagradable, haciendo surgir quejas y acusaciones mutuas.

Para que el vínculo funcione bien en todos los ámbitos, lo ideal es que al menos uno de los dos signos se beneficie de correcciones astrológicas providenciales de signos de Tierra, que suponen un auténtico salvavidas para un hermoso e inspirado vínculo que no merece perecer en el abismo.

Las combinaciones del Sol y de la Luna

Sol en Cáncer – Luna en Aries

La timidez se viste de agresividad, las emociones se experimentan con brusquedad y exageración, y la necesidad de introspección se transforma en una actividad eufórica y desordenada. En esta combinación, el deseo de afirmación e independencia es inmenso, pero el comportamiento audaz y el desafío se debilitan con rapidez. Ella es rebelde, inconstante, nerviosa y más bien vulnerable, sueña con dominar al hombre, pero no siempre lo consigue. Él proyecta sus deseos sobre una mujer ideal, que desearía que fuera activa, imperiosa y llena de vitalidad.

Sol en Cáncer – Luna en Tauro

Se trata de personas de carácter extremadamente dócil, tranquilo, afectuoso, con un ritmo lento y una sensualidad intensa. Hedonistas natos, detestan el conflicto y la competición, y aspiran a acoger, amar, proteger y ser protegidos en una vida confortable y tranquila, adornada con placeres materiales, arte, música y el contacto con la naturaleza. Muy femenina, ella desea afectos seguros y una familia tradicional. Él busca una compañera maternal que sea una referencia sólida.

Sol en Cáncer – Luna en Géminis

Tienen un temperamento fantasioso y distraído, curioso, inquieto y más comunicativo que el del signo estándar. Su espíritu oscila entre la juventud y el infantilismo, y tienden a moverse entre las emociones y el intelecto, negándose a madurar y a asumir responsabilidades. Él desea una mujer bulliciosa y despreocupada, capaz de divertirle. Ella duda entre la imagen de una mariposa inconstante y siempre a la búsqueda de nuevas emociones, y un papel más tradicional, maternal y nostálgico.

Sol y Luna en Cáncer

Es una combinación que exalta los valores del sentimiento y de la sensibilidad en detrimento de todo lo que represente el ámbito más racional. Son individuos muy receptivos, fantasiosos, pero que se sienten vulnerables y tienden a protegerse, a encerrarse en su mundo, al abrigo de las amenazas exteriores. Están inclinados a la pasividad y a la contemplación, o a aventuras tildadas de fantásticas. Tanto él como ella necesitan un compañero sensible que les guíe, les dé seguridad y que posea las cualidades prácticas de las que carecen.

Sol en Cáncer – Luna en Leo

Tienen un carácter egocéntrico, teñido de autoritarismo, y están seguros de sí mismos; son individuos deseosos de hacerse notar y de que los admiren por sus cualidades, de las cuales son conscientes y se enorgullecen. Magnifican las emociones sin timidez y se exponen a la luz del Sol como una espléndida emanación personal; los sentimientos son cálidos y fuertes. Él desea una mujer de fuerte personalidad, a la cual consagrarse con una cierta sumisión. Ella, dulce tirana, se impone con firmeza teñida de ternura.

Sol en Cáncer – Luna en Virgo

Las emociones pierden su supremacía en beneficio de valores lógicos y analíticos. El contacto con la realidad es mejor y la capacidad de solucionar los pequeños problemas prácticos se consolida; la sensualidad palidece, pero no la timidez, y los escrúpulos y la modestia pueden frenar la expresión personal, incluso crear angustias posteriores. Ella controla sus emociones, es servicial y evita destacar. Él desea una compañera eficaz, capaz de ser útil, y una sobriedad excesiva podría resultarle decepcionante.

Sol en Cáncer – Luna en Libra

He aquí una personalidad caracterizada por el romanticismo, la diplomacia y la sumisión, capaz de renunciar a su afirmación personal por amor a la paz y para adaptarse a las necesidades de los demás, empezando por las de su pareja. El sentido estético y armónico es destacable, la fantasía es creativa, los gustos y las formas son delicados, y las relaciones con los demás son particularmente fluidas. Ella, muy dulce y fascinante, se adapta perfectamente a su pareja y es una compañía ideal. Él, por su parte, da muchísima importancia a la estética y todavía más al refinamiento, y espera de ella una completa colaboración.

Sol en Cáncer – Luna en Escorpio

Su comportamiento está movido por las emociones fuertes, además de una imaginación a menudo tortuosa y transgresora. Son personas más inclinadas a profundizar y a preguntar que a soñar, y están guiadas por un instinto infalible. La dulce sensualidad de Cáncer toma tintes más oscuros con esta combinación: el interés por los aspectos sexuales y los misterios de la vida es importante. Ella es una esposa-madre despótica y posesiva que somete al hombre con su personalidad. Él se siente atraído por una mujer perturbadora con un importante atractivo sexual.

Sol en Cáncer – Luna en Sagitario

El hedonismo, la prodigalidad, el gusto por los placeres de la vida se ven acentuados en este carácter, pero de una forma más emprendedora y dinámica que el signo estándar. La generosidad respecto a los demás y a sí mismo es notable; la timidez y la sensibilidad disminuyen, y el optimismo y la confianza, tanto en sí mismo como en los demás, se acentúan. Las emociones son más sencillas, eufóricas y fáciles de exteriorizar. Ella tiene un carácter sencillo y bueno, abierto, efusivo, capaz de dar con altruismo. Él busca una compañera alegre que le reconforte el corazón.

Sol en Cáncer – Luna en Capricornio

El Sol y la Luna en signos opuestos aportan una contradicción entre el alma y el psiquismo, entre las necesidades y los deseos. No obstante, desde el punto de vista práctico, los resultados son buenos, gracias a las cualidades de autosuficiencia, ambición y capacidad de autocontrol; en estos individuos, existe una gran aspiración de salir del caparazón, para acceder al éxito social. Introvertidos, rehúsan dejarse llevar por las emociones. En el amor, tanto él como ella desean encontrar una pareja sólida que secunde sus ambiciones sin mostrarse excesivamente sentimental y sin crear ninguna clase de dependencia afectiva.

Sol en Cáncer – Luna en Acuario

Tienen un temperamento creativo y original, en equilibrio entre el pasado y el futuro, entre la nostalgia y la utopía. Los aspectos «domésticos» del carácter pasan a segundo plano y aumenta la espontaneidad, la búsqueda de amistades y de relaciones humanas más amplias basadas en la confianza. La imaginación es fuerte y se resiste a un anclaje sólido en la realidad. En el amor, tienden a un idealismo puro que él busca en una mujer protectora pero emancipada. Ella intenta conjugar su espíritu maternal con su exigencia de libertad.

Sol en Cáncer – Luna en Piscis

Son personas muy dulces y vulnerables que viven en un mundo fantástico compuesto por sensaciones y sueños, presas de un torrente de emociones que puede exaltarlos o engullirlos. Tienden tendencia a huir de la realidad, preferiblemente si es poco confortable y desagradable: tanto él como ella necesitan unas sólidas referencias afectivas y prácticas. Ella es tierna y sensual, ansiosa, capaz de una gran devoción y de grandes sacrificios. Él es intuitivo, un alma delicada, y busca una mujer sensible, etérea, una especie de sirena.

LEO
Y EL AMOR

Características de Leo

Periodo: del 23 de julio al 23 de agosto
Elemento: Fuego
Cualidad: fijo, masculino
Planeta: Sol
Longitud zodiacal: de 120° a 150°
Casa zodiacal: quinta
Color: naranja
Día: domingo
Piedra: diamante
Metal: oro
Flor: girasol
Planta: cidro
Perfume: incienso

ELLA

Altiva, segura de sí misma, orgullosa, la mujer Leo se tiene en un alto concepto: le gusta mostrarse, sentirse elevada, admirada en un pedestal por una corte de adoradores. De alma noble y sincera, el amor es para ella un sentimiento espontáneo y absoluto que emana como los rayos del Sol; y, como este, el amor de una Leo es generoso y protector, aunque un poco autoritario dentro de su benevolencia. Cuando ama, esta mujer lo hace con sinceridad; busca satisfacer a la persona amada en todo, puesto que siempre desea mostrarse a la altura de las expectativas, pero también espera mucho de su pareja. Aunque es por naturaleza apasionada y se entusiasma fácilmente, sólo ofrece su corazón después de haber reflexionado cuidadosamente, pues no se contenta con un hombre cualquiera: necesita tener a su lado una personalidad fuerte y digna de respeto, que pueda apaciguar no sólo su deseo de amor, sino también su sed de prestigio social y de rectitud moral; en resumen, un hombre del que pueda enorgullecerse en todos los aspectos. Es en general una mujer fiel, a quien le gusta hacerse notar, y puede dar la impresión de buscar aventuras, pero esto es sólo un modo de satisfacer su vanidad. Sin embargo, su compañero no debe cometer en ningún caso el error de descuidarla, ya que la indiferencia es la peor afrenta que se le puede hacer. La infidelidad puede manifestarse cuando la leona cree merecer algo mejor que lo que se le da. Pero no le gustan las situaciones ambiguas y, por el contrario, busca sentimientos claros y honestos, y, desde luego, exige que la persona que comparte su vida sea también sincera.

ÉL

Buen porte, vitalidad y energía; está dotado de una fuerte personalidad que se impone de manera natural y que él utiliza para pavonearse y elegir a la favorita del día entre las numerosas admiradoras que le siguen constantemente. Se vanagloria de su éxito con una presunción un poco ingenua, pero la nobleza de su alma le impide finalmente aprovecharse de ello, ya que, aunque es egocéntrico y dominador, tiene un espíritu caballeresco. Ama cálida y profundamente, y posee la particularidad de ensalzar a la persona amada a un nivel más elevado para que esta se enorgullezca de haber sido elegida por un individuo tan prestigioso. La pasión puede inflamarlo brutal-

mente, pero no elige a la mujer de su vida con los ojos cerrados; muy exigente, la quiere perfecta en todos los sentidos y con un estándar un poco más elevado que las demás. Leo busca siempre lo mejor.

Se nutre de sentimientos sinceros y justificados, pero, una vez conquistada la estabilidad afectiva, tiende a convertirse en perezoso y a dejar a su compañera los honores y las tareas relativas al hogar. Su manera de dirigir no tiene nada de laxa y, en la pareja, manda a distancia: deja hacer pero siempre está a punto para intervenir si cualquier cosa no se lleva a su conveniencia o de acuerdo con sus principios. Le gusta ser el centro de atención, pero no es de naturaleza infiel (en todo caso sólo por narcisismo). La tarea de su compañera es absorbente pero se verá ampliamente recompensada, puesto que vivir al lado de un Leo significa compartir su riqueza, tanto la material como la espiritual.

CORAZÓN, UNIÓN, RUPTURA

Tanto él como ella son proclives a dejarse cortejar en lugar de tomar la iniciativa, no porque no sean emprendedores, sino porque prefieren hacerse ver antes de elegir mediante el «golpe de gracia» definitivo. Y en general, la elección es amplia puesto que están dotados de un gran encanto y vigor, de una calidez y de una vitalidad que destaca. De naturaleza autoritaria, no les gustan los cuestionamientos o las contradicciones (sobre todo en público) y, con ellos, la mejor estrategia consiste en mostrarse devoto y desbordante de admiración, dispuesto a aceptar su supremacía y a vivir a la sombra de su fuerte personalidad. No hay que excederse, sin embargo, en la modestia, puesto que la pareja ideal sólo debe mostrarse sumisa con ellos y estar dotada de cualidades un tanto especiales que la conviertan en digna de estar a su lado y de asumir con éxito el papel de «reina» o de «príncipe consorte». Un poco presuntuosos, les gusta recibir alabanzas y parabienes y, aunque no son materialistas, los homenajes deben ser proporcionales a su «realeza»: nada de flores silvestres para ella y algo que coincida plenamente con sus gustos para él.

Amantes de la magnificencia, son generosos con la persona amada, pero no se puede decir que sean tiernos y atentos, especialmente una vez pasado el deslumbramiento del flechazo. Esto no se debe a la negligencia o a la indiferencia, sino porque ellos creen que su pareja debe otorgarles una confianza absoluta. Para este signo fijo, el amor es la experiencia central de la existencia y se trata de algo muy serio; una vez que Leo ha dado su corazón, es para toda la vida y no necesita contrastar continuamente la elección efectuada. En la vida en pareja, él exige sin dudar el bastón de mando y ella centraliza sobre sí misma el papel de jefe dirigiendo con mano firme todas las actividades en el interior y en el exterior de la casa; él delega en-

cantado en su compañera las antipáticas tareas cotidianas y reserva su energía para actividades más «importantes». Los Leo intentan asegurar el confort, el bienestar y, si es posible, un poco de lujo a toda la familia; poco inclinados a estar encerrados, les gusta la vida mundana o, como mínimo, recibir amigos a quienes ofrecer una inolvidable hospitalidad. Se dedican mucho a sus hijos, a quienes educan con aplicación y una cierta severidad; y aunque un poco temidos, se les ama por la pasión que ponen en su tarea educativa.

Aunque resulte agradable, vivir con un Leo no es demasiado tranquilo y a veces uno no puede más. Como siente horror por las mentiras y los subterfugios, si no se quiere perder definitivamente su estima es mejor darle una explicación honesta: seguro que montará en cólera a causa de la herida infligida a su amor propio, pero enseguida apreciará su sinceridad y su valor.

RELACIÓN CON LOS OTROS SIGNOS

LEO – ARIES

Es un encuentro que se caracteriza por mucha pasión y entusiasmo y que, aunque atormentado, tiene grandes posibilidades de éxito. Para el hombre Leo, la mujer Aries es una compañera atractiva pero también una temible adversaria; cuando decide dejarse conquistar por la seguridad de sus asaltos, ella puede imaginar que ha ganado, pero no se trata de esto. Efectivamente, aunque él sea indolente en apariencia, es un «auténtico macho», no sólo capaz de enfrentarse a ella, sino totalmente dispuesto a imponer su voluntad; así pues, la guerrera mujer Aries encuentra siempre nuevos motivos de antagonismo, ya que es la sal de su existencia. Y Leo saborea con delectación el ardor apasionado de esta mujer, un auténtico bálsamo para su narcisismo masculino. Cuando discuten (lo que sucede con frecuencia), ella estalla en una cólera violenta, pero él se obstina sin ceder un milímetro y casi siempre sale vencedor del lance; como es generoso, recompensa su valor con espléndidos regalos y suntuosas invitaciones. Algo parecido pasa en sentido inverso, entre el hombre Aries y la mujer Leo. Él, conquistador nato, convierte en una cuestión de honor la capitulación de la fiera

Leo, pero ella no se entregará hasta que su compañero adopte un comportamiento de adoración ciega. No será hasta este momento en que ella deje vía libre para una relación viva y ardiente, caracterizada por un ritmo exuberante, incluso en el plano sexual. En todas las parejas Leo-Aries la fogosidad del carácter y el instinto de mando llevan a los dos nativos a enfrentarse en perpetuas discusiones que podrían ser extenuantes para otras personas, pero que para ellos son motivo de estímulo y barómetro de una situación que, para satisfacerles, debe ser siempre explosiva. El eventual debilitamiento de esta rivalidad enciende la alarma anunciando que algo va mal, y una sumisión demasiado grande se interpreta como un signo de desinterés. Cuando esto se produce, resulta extraño que ambos acepten continuar con una relación mediocre y, como no carecen ni de franqueza ni de valor, la ruptura no les da miedo.

LEO – TAURO

El entendimiento entre dos signos fijos no es de los más fáciles, pero entre Leo y Tauro existe a menudo una atracción que les lleva a embarcarse en una relación, a pesar de que el resultado sea incierto. Ambos son efectivamente campeones de la obstinación y no renuncian fácilmente a sus proyectos, mucho menos si están realmente enamorados. Los sensuales atractivos de Tauro no pasan inadvertidos a ojos de Leo (que siempre está en busca de gratificaciones y placeres), mientras que la innegable prestancia leonina fascina al sibarita Tauro; de esta forma puede nacer un amor fogoso, con apasionadas connotaciones eróticas, pero también con severos conflictos. Al principio, Leo tiene la impresión de ganar con todas las de la ley; Tauro, ya sea hombre, ya mujer, le tiene una admiración devota y se presta con gusto a satisfacer sus deseos, sin cuestionarlo cuando impone sin término medio su personalidad autoritaria. Pero se equivoca juzgando así a Tauro, quien, para estar tranquilo, le deja hacer, aunque acabe perdiendo la paciencia. Tarde o temprano aflora que a Tauro, prudente y ahorrador, le gusta el confort y la tranquilidad, pero no soporta los aires de grandeza de Leo; cree en la sinceridad de su amor, pero no asimila en absoluto las manifestaciones exhibicionistas que le llenan de celos; además, cree que la presunción optimista de Leo es una imprudencia injustificada. Estas críticas hieren el amor propio de Leo, que no tarda en acusar a Tauro de avaro, de desconfiado y de posesivo. Existen mejores perspectivas de entendimiento entre un hombre Leo y una mujer Tauro, puesto que él puede mandar fuera del hogar y dejar a la mujer la organización de la casa, algo que ella lleva a cabo

con eficiencia; la condición esencial consiste en no dar motivos de celos a esta suspicaz compañera. El acuerdo es más complicado en el caso inverso, y el conservador y celoso Tauro no podrá adaptarse a una provocadora Leo, que no sólo pretende mandar en casa, sino que quiere brillar en el exterior.

LEO – GÉMINIS

El entendimiento entre estos dos signos es vivo, agradable y muy estimulante, incluso aunque existan numerosas incompatibilidades de carácter que se manifiestan sobre todo con la edad. Ambos son vanidosos y quieren ser protagonistas, pero Leo asume este papel con una majestuosidad consciente, tomándose muy en serio y exigiendo a los demás respeto y sumisión; por el contrario, a Géminis le gusta divertir y divertirse, asumiendo papeles diferentes cada vez como un calidoscopio sin fin. Si mantienen una relación como pareja de amigos o de amistad afectuosa, ambos pueden salir muy beneficiados; saben divertirse llevando una vida social variada, con unos intereses muy diversos, y su relación nunca es aburrida, especialmente cuando son jóvenes y despreocupados. Si, no obstante, sobrepasan este estado superficial de la relación, las diferencias de carácter modifican radicalmente las perspectivas. Las bromas, la ironía y el relativismo característicos de Géminis son conceptos casi desconocidos para Leo, más inclinado a ideas y sentimientos absolutos; además, detesta profundamente las ambigüedades y las mentiras, que Géminis utiliza con mucha desenvoltura para salir de situaciones embarazosas.

Si la unión desemboca en la convivencia o en el matrimonio, Leo quiere tomar inmediatamente el mando, pero Géminis no está nada dispuesto a vivir a su sombra y no tardará en desenfundar su afilada lengua, deshaciéndose en críticas y polémicas que ofenderán profundamente a su pareja. Si ambos son suficientemente abiertos para reconocer sus propios límites y encontrar lo que les falta en su compañero, la relación puede evolucionar de manera cualitativa: Leo puede revelarse como una referencia, un modelo de seguridad y de fuerza de carácter, de magnanimidad y de altruismo; Géminis puede enseñar a su compañero a ser más crítico y menos ingenuo, más flexible y menos absoluto en sus puntos de vista. Si no dan este salto, es muy probable que, tarde o temprano, comprendan que no pueden continuar juntos.

LEO – CÁNCER

Entre el Fuego (Leo) y el Agua (Cáncer) no existe mucha compatibilidad, y esta pareja no es una excepción. El solar Leo y el lunar Cáncer son también diferentes como la noche y el día; mientras que el primero es audaz, seguro de sí mismo, dominador, e irradia fuerza y calor a su alrededor, el segundo es tímido, tierno, sensible y se repliega rápidamente sobre sí mismo cuando se siente amenazado. Es evidente que, cuando la chispa mágica se produce, Leo asume inmediatamente el papel dominante, lo que no parece escandaloso cuando el amor nace entre un imperioso hombre Leo y una romántica mujer Cáncer. En este caso, él encarna la figura de héroe caballeresco, espléndido y generoso, a quien se debe obediencia y devoción, que ella no tarda en darle, seducida por sus nobles maneras, sus generosos regalos y sus apasionadas pruebas de amor. Leo piensa que ha encontrado a la mujer ideal, afectuosa y sumisa, lo bastante tradicional como para aceptar su supremacía, pero igualmente capaz de cuidar a su amado y a su familia con una energía insospechada. Y en efecto, casi siempre sucede así; pero, para tener a su «media naranja» contenta, el hombre Leo no podrá dar por hecho que ha conseguido su amor, cosa que los expeditivos signos de Fuego están inclinados a creer. Deberá evitar descuidarla debido a sus compromisos mundanos o profesionales y a interesarse por sus estados de ánimo, así como por sus emociones, y estar cercano a ella espiritualmente. Sin embargo, entre un hombre Cáncer y una mujer Leo, las cosas se complican. La luminosa vitalidad de esta última puede gustar a Cáncer, pero su frenética vida mundana lo cansará pronto. Si son novios, intentará mantener el ritmo pero, en la vida en pareja, Cáncer tenderá a ponerse las zapatillas, cosa que no soporta la mujer Leo, quien, además, querrá dirigir a su manera la pareja, arrebatándole la paz. Él no soportará quedar relegado a un segundo plano sin consecuencias para su susceptibilidad. Es difícil predecir cuánto tiempo puede durar esta situación...

LEO – LEO

Dos soberanos para un solo reino resulta demasiado y, a pesar de que uno de ellos sea una reina, el problema no cambia mucho. El destino de este tipo de pareja, formada por dos números uno, es herirse inevitablemente en algún momento. A pesar de todo, el amor, o como mínimo la atracción, puede nacer con violencia; además, ambos se hallan a la búsqueda de la excelencia y ¿qué hay mejor que encontrar un hombre (o una mujer) que encarna a la perfección el propio ideal «supremo»? Por tanto, no es improbable que dos Leo se encuentren y crean haber hallado su alma gemela. Pero, la mayor parte de las veces, se equivocan, puesto que no hacen otra cosa que contemplar su propio reflejo en el otro, y como criaturas narcisistas y egocéntricas, la imagen les complace enormemente. Es así como continúa la relación, que comparte entusiástica-mente gustos, intereses y descubrimientos; a esta pareja le gusta brillar en público, llevar a cabo un gran número de actividades mundanas y divertirse con lo mejor que el mundo pueda ofrecerle. No conoce ni el aburrimiento ni la fatiga, y se concede todo lo que es posible. Lo mismo puede decirse desde el punto de vista sexual, y es innegable que el entendimiento funciona a la perfección: impulsos, vigor y pasión no faltan nunca a nuestros dos «superhéroes». Entonces, ¿dónde se esconde la insidiosa amenaza que planea sobre la relación? Mientras los dos nativos son jóvenes y la relación es despreocupada, los problemas no aparecen casi nunca (a excepción de los económicos, en la medida en que Leo gasta sin reparos). Pero si la historia continúa y la unión se convierte en seria, el choque entre dos personalidades fuertes y autoritarias que quieren la supremacía se manifestará desde el momento en que se tenga que tomar una decisión seria: valientes y orgullosos, los nativos empezarán a desafiarse, a rivalizar, y las hermosas proposiciones de amor y armonía desaparecerán. Así pues, la última verdad que se lanzarán al rostro será que no se aguantan más.

LEO – VIRGO

He aquí un pareja aparentemente poco prometedora, pero que a menudo revela aspectos insospechados que la convierten en más estable de lo previsto. No es que la pasión sea muy viva entre estos dos nativos tan diferentes por su estilo y sus expectativas: a menos que exista una presencia de fuertes valores astrales en otros signos, los modestos y reservados Virgo no atraen la atención de Leo, que prefiere dejarse seducir por una figura más hermosa y vistosa. Por su parte, los Virgo, realistas y prudentes, no sienten ninguna confianza por Leo, a quien juzgan demasiado grandioso y presuntuoso para su gusto. Pero si el deseo y las ganas de conocerse y profundizar existen, Virgo (hombre o mujer) puede sorprender a Leo por su refinamiento intelectual que, en los casos más sobresalientes, brilla con una luz tan intensa como el aura creativa de Leo. Este sabrá apreciar las cualidades prácticas que permiten a Virgo (hombre o mujer) sacar a su pareja de problemas propios de la vida diaria. Si la pareja consigue superar los prejuicios respectivos, podrá establecerse entre ellos una fructífera y útil solidaridad. Efectivamente, se da por descontado que el Leo tomará las riendas, puesto que la servicial Virgo espera con impaciencia el momento de ser útil, y esta tarea le resulta tanto más agradable si es un magnífico Leo quien requiere sus servicios, no solamente porque sabrá recompensarla con generosidad, sino porque el hecho de beneficiarse del amor de una persona tan solar y vital caldeará su corazón y le ayudará a supe-

rar su inseguridad y fortalecer su amor propio. Si la pareja está formada por un hombre Leo y una mujer Virgo, ella corre el riesgo de desempeñar el papel de madre, de secretaria y de esposa siempre a las órdenes del imperioso compañero, pero estos son papeles que finalmente les convienen. En el caso contrario, la mujer Leo tomará con entusiasmo la dirección, mientras que el hombre Virgo no tendrá derecho a decir la última palabra, pero quizá podrá contar con el apoyo apasionado de una compañera que sabrá valorarlo en todo momento, tanto en privado como en público.

LEO – LIBRA

El imponente y luminoso Leo y el conciliador y refinado Libra forman una pareja de éxito. Hombre o mujer, Leo impresiona por su estilo, la seguridad de sus maneras, la vitalidad solar que emana de cada uno de sus gestos; y Libra se siente profundamente impresionado por las manifestaciones de belleza y elegancia, tanto más cuando se asocian a un carácter firme y autoritario que promete resolver su crónica incertidumbre. Leo, que aprecia ser admirado y no soporta que le contradigan, encuentra el complemento ideal de su personalidad en Libra, pues este posee, por una parte, los atributos de la belleza, o por lo menos gracia y armonía, que satisfacen el amor por las apariencias, y, por otro lado, un carácter conciliador, suave y cooperativo, que le permite ejercer a su gusto el poder sin riesgo ni protestas. Y la realidad de los hechos confirma casi siempre estas previsiones. Ambos se gustan inmediatamente y, desde los primeros momentos que pasan juntos, descubren que tienen un gran número de cosas en común, como unos gustos idénticos, la vida mundana, la expresión artística, y el placer por las cosas bellas y elegantes, lo que les permite no tener ningún problema sobre la forma de pasar el tiempo.

Al lado de un vigoroso Leo, la mujer Libra tiene la impresión de ser escoltada por un elegante guardaespaldas y, por su parte, él se siente feliz de exhibir una compañera siempre perfecta y de modales irreprochables. El hombre Libra sabe halagar perfectamente a Leo y ella exulta teniendo a su lado a un compañero tan amable, que la trata como la más bella y envidiada de las mujeres. Pero este barniz dorado no debe inducir a considerar que la relación es superficial y exclusivamente fundamentada en las apariencias; en el fondo, Leo, signo del esplendor estival, sabe dar a Libra, signo de otoño, el calor entusiasta que le falta a este último, fundiendo así la indecisión y el frío de las emociones; por su parte, Libra templa con su buen gusto la majestad de Leo y suaviza con delicadeza algunos rasgos autoritarios de su carácter. Así pues, la mayor parte del

tiempo, viven felices y tienen muchos niños...

LEO – ESCORPIO

Es una pareja con un potencial erótico y pasional muy intenso, pero agitada, atormentada y con numerosos contrastes. El Fuego de Leo hace hervir el Agua de Escorpio pero, aunque sea vigoroso, Leo se arriesga a caer derrotado ante un compañero que, en general, es más astuto y más despiadado. Ambos tienen una relación discordante, pero esto precisamente es lo que les atrae y les une en una pasión mutua; son dos signos fijos que se aman pero se enfrentan provocándose continuamente, de manera agotadora y peligrosa. El solar y generoso Leo se aventura confiadamente en el entorno insidioso, misterioso y sembrado de trampas ocultas de Escorpio, puesto que su ingenuidad no le permite ninguna sospecha, y si la tuviera, pensaría que puede superar cualquier problema sin dificultad. Pero no puede evitar sentirse incómodo en este universo oscuro, complicado y tortuoso, pues es verdad que Leo está hecho para las grandes verdades, los sentimientos absolutos, y los ideales claros y unívocos. La atracción sexual reviste casi siempre un papel esencial en esta unión, donde la profundas divergencias de carácter y de método no pueden constituir la base de la relación; pero el sexo, aunque intenso, apasionado y extenuante, corre el riesgo de transformarse en un instrumento de poder entre dos personalidades muy distintas pero igualmente testarudas, posesivas y dominadoras. Enlazados en un entramado que amenaza con asfixiarlos, los dos nativos pueden prolongar mucho tiempo este duelo, innato en el beligerante Escorpio, que busca problemas cuando no los tiene, mientras que Leo, una vez que ha conseguido el primer lugar, prefiere reposar confortablemente. Así pues, es probable que Leo abandone las armas el primero, cansado de luchar sin éxito, y a decir verdad, un poco decepcionado por los golpes bajos de Escorpio, una de sus especialidades y que Leo detesta desde lo más profundo de su ser.

LEO – SAGITARIO

He aquí una buena pareja de Fuego que inicia una relación hecha de impulsos y entusiasmo. Aunque con un carácter y unos modales diferentes, ambos comparten una gran pasión por la vida y un idealismo animado por las más nobles intenciones; su objetivo es vivir de manera sana, intensa, tan gratificante y feliz como sea posible, haciendo el bien a los otros mediante acciones de gran generosidad, otro rasgo común a los dos nativos. Ciertamente, a primera vista, el desenvuelto Sagitario puede juzgar a Leo como orgulloso y demasiado sensible a las apariencias, mientras que este puede encontrar exagerada la exuberancia de Sagitario; pero al final, aprecia

mucho la espontaneidad de Sagitario, quien, gracias a su franqueza y simpatía, derrumba prácticamente todas las pretensiones de superioridad de su pareja; no quiere disputarle el poder, y simplemente hace gala de estima y consideración hacia su persona, sin dejarse impresionar por su imagen y mucho menos por su aura de superioridad. Después de recuperar una «dimensión humana», Leo se siente auténticamente a gusto y ambos siguen su vida en común.

La relación tiene grandes posibilidades de cuajar si Leo, signo fijo y, en consecuencia, más determinado, intenta encauzar la vida hacia la pareja o el matrimonio; Sagitario será más reticente a involucrarse de manera definitiva porque el innegable autoritarismo de Leo resuena como una inquietante amenaza a su libertad y, en efecto, esto puede ser un escollo, sobre todo en el caso de un hombre Leo y una mujer Sagitario.

Pero los dos dan mucha importancia a la estima y la confianza recíproca y son incapaces de golpes bajos: una vez convencidos de la buena voluntad y de la honestidad recíproca, el entusiasmo y el ardor de sus sentimientos se evidenciará y los dirigirá hacia un hogar estable y motivado, lo que no significa aburrido. ¿Los defectos de esta relación? La presunción y una excesiva ligereza pueden conducir a errores en la gestión de lo cotidiano y a dilapidar el dinero.

LEO – CAPRICORNIO

Aunque muy diferentes, estos dos signos tienen en común la ambición, el amor al poder, el deseo de una posición prestigiosa y la capacidad de consagrarse tenazmente a sus objetivos. No resulta extraño que entre ellos nazca una amistad amorosa, estable y motivada, que puede durar toda la vida. Al principio, puede existir un poco de reserva recíproca: Capricornio es desconfiado por naturaleza, y el esplendor de Leo puede hacerle recelar; por su parte, este se queda perplejo ante la helada austeridad de Capricornio, tan alejado de su alegría de vivir solar. Pero, en cuanto hay oportunidades de profundizar en la relación, ambos descubren que sus objetivos son similares y su funcionamiento se complementa. Capricornio tiene unas elevadas aspiraciones, a las que se consagra con perseverancia y paciencia, sin hacer ruido; Leo tiene objetivos también elevados pero no siente ningún escrúpulo en exhibir sus cualidades personales, y puede ser útil a Capricornio dándole pruebas de que la admiración de los demás puede allanar el camino y que quizá da mejores resultados que obstinarse en escalar cumbres aisladas. En el plano afectivo, los cálidos impulsos de Leo consiguen tarde o temprano fundir la prudente reserva de Capricornio, que oculta una cierta vulnerabilidad emotiva; al lado del protector y generoso Leo, Capricornio se siente seguro, reconfortado y puede abandonarse sin temor a su naturaleza secretamente atraída por los placeres terrenales. Ambos son exigentes, sienten horror por el fracaso o por tener la impresión de no corresponder a las atenciones, y buscan dar lo mejor de sí mismos para satisfacer los deseos de su compañero.

El reparto de poderes en el seno de la pareja puede hacer surgir divergencias y el papel decisivo lo asume entonces Capricornio, que sabe elegir con clarividencia la mejor solución y ceder a su compañero la posición más prestigiosa, por lo menos a los ojos de los demás.

LEO – ACUARIO

Como en cualquier pareja formada por signos opuestos, la diferencia les impulsa a atraerse como un imán, pero la diversidad es a la vez motivo de fuertes enfrentamientos, que son bastante insuperables al tratarse de dos signos fijos como Leo y Acuario. Cuando se inicia una relación de este tipo, se puede estar seguro de que la historia no será banal, incluso aunque sea difícil prever cómo terminará. No hace falta decir que ambos tienen ideas y comportamientos opuestos: a Leo, autoritario y grandioso, le gustan las apariencias, mientras que Acuario, inconformista hasta la médula, detesta los convencionalismos; en la misma medida que el primero se vanagloria situándose en un pedestal, el segundo se muestra indiferente a las jerarquías y al prestigio personal. La diferencia esencial reside en el hecho de que Leo se siente superior, pero necesita la admiración de los demás; por el contrario, Acuario se siente diferente y hace todo cuanto le es posible para reafirmar este individualismo, concediendo poca importancia al hecho de que los otros lo aprueben o no. Y es a menudo este estilo desenvuelto y aparentemente frío el que estimula en Leo el deseo de conquista, puesto que no soporta la idea de que se pueda ser insensible a su esplendor y encanto. Es probable que Acuario oponga cierta resistencia, pues es reticente al compromiso de forma natural: para él (o ella) se trata de algo serio y sólo una persona en particular puede merecer que sacrifique su libertad. Y como el despotismo de Leo, soberano luminoso y magnífico, pero también absoluto, resulta bien conocido, es necesario reflexionar cuidadosamente antes de decir sí. El flirteo y la amistad afectuosa son agradables y ofrecen a ambos la ocasión de apreciar sus cualidades recíprocas, pero una relación estable necesita una estimación muy cuidada. Tiene mejores expectativas la pareja formada por una mujer Leo y un hombre Acuario, puesto que su apertura de espíritu permitirá al hombre abandonar sin problemas el cetro real y desempeñar el papel de «príncipe consorte» consagrándose a sus centros de interés vitales.

LEO – PISCIS

El Fuego fijo de Leo y el Agua móvil de Piscis no constituyen las mejores credenciales para garantizar una relación satisfactoria y duradera. Los Piscis evolucionan en un mundo sin fronteras, muy sugestivo, donde todo es posible y nada es cierto. Leo, por el contrario, quiere ser el centro de un universo claro, regido por referencias de fuerza bien definidas y donde los papeles están bien perfilados. Si se trata de dos nativos astrológicamente «puros», es muy difícil que surja química entre dos criaturas tan diferentes: existirá un flirteo, una aventura, un flechazo, pero un vínculo estable acabará por incomodar profundamente al menos a uno de los dos. El entendimiento es prácticamente imposible, sobre todo en lo que concierne a los Piscis neptunianos, que son unos soñadores inalcanzables. Por el contrario, si Piscis pertenece al género jupiteriano, más alegre, pragmático y hedonista, existen más puntos comunes que permitirán un entendimiento luminoso y despreocupado donde los placeres materiales ocupan un lugar importante; ambos son generosos con los demás y pródigos con ellos mismos, y tienen que vigilar los «agujeros» de su presupuesto.

Sin embargo, incluso en este supuesto será necesaria la intervención de correcciones astrales adecuadas en otros signos para asegurar un final feliz a esta historia de amor; en caso contrario, surgirán las divergencias de carácter, especialmente si deciden casarse o vivir juntos: no se trata en absoluto de conflictos de poder puesto que, dulces y desbordantes de buena voluntad, los Piscis no intentan poner en duda la autoridad de Leo; la Piscis tiende a asumir el papel de mujer frágil y un poco víctima, esclava

enamorada del imperial y protector compañero. Pero la versátil mujer Piscis no ofrece a Leo las garantías esperadas, puesto que es una compañera que escapa a su control, lo que le sume en un profundo malestar. Las ambigüedades, las ausencias, lo que se dice y lo que no se dice vuelven a Leo literalmente loco y dan como resultado estallidos de cólera que hieren la delicada sensibilidad de Piscis; tarde o temprano este decide marcharse.

Las combinaciones del Sol y de la Luna

Sol en Leo – Luna en Aries

Es una configuración que denota gran valor y creatividad, así como una ausencia de ligereza y una clara tendencia a imponerse. Egocéntricos, impacientes y exuberantes, estos individuos son muy apasionados y turbulentos; aunque generosos e idealistas, son poco sensibles a las necesidades de los demás y les gusta ser importantes. Sus sentimientos se inclinan hacia la exaltación y la ingenuidad. Ella es ardiente y una intrépida dominadora. Muy viril, él desea una mujer dinámica y vigorosa a la que, no obstante, intenta controlar.

Sol en Leo – Luna en Tauro

Tienen un carácter obstinado, celoso y rígido. La presunción queda matizada por la prudencia, pero el amor propio resulta evidente y lucha sin descanso por sus propios fines. Muy unidos a sus placeres, aman mucho la vida; son profundos y constantes, fieles y generosos en el amor, pero son orgullosos y poco maleables. Ella, sensual y sentimental, busca un compañero capaz de ofrecerle certidumbres tangibles. Él necesita una mujer sencilla, una colaboradora que le permita sentirse indispensable.

Sol en Leo – Luna en Géminis

Tienen un temperamento vivo y extrovertido, vanidoso y exhibicionista. Son individuos brillantes y simpáticos, que suelen tener mucho éxito en la vida social; también cuentan con un gran deseo de complacer, lo que convierte su comportamiento en más flexible, pero no siempre coherente. Él busca una compañera espiritual, juvenil, divertida y no demasiado sentimental. A ella le gusta ser admirada, no sólo por su apariencia, sino también por su inteligencia, y desea encontrar un compañero flexible que no intente reprimirla.

Sol en Leo – Luna en Cáncer

En esta combinación, la fuerte personalidad de Leo se enriquece con matices e intuiciones, pero también se convierte en más vulnerable y menos segura de sí mismo. La necesidad de proteger y de amar es muy viva, tanto como el deseo de seguridad material y afectiva. Los sentimientos asumen un papel muy importante y conducen a menudo al deseo de fundar una familia y tener niños, puesto que el amor por estos es muy importante. Él desea una mujer sumisa y dulce, a quien poder tiranizar suavemente. Ella, muy afectuosa y sensual, es vigilante hasta el exceso.

Sol y Luna en Leo

En esta combinación, el calor solar llega también a la Luna y afecta en consecuencia a la emotividad. Se trata de personas que sienten, piensan y viven a lo grande: muy egocéntricas y generosas, están siempre por encima de la media. Su vitalidad, su teatralidad y su pasión son notorias, al igual que su arrogancia y su presunción. Si bien existe una gran capacidad de dar, las pretensiones y los ideales afectivos son también muy elevados. Él desea una compañera brillante y deseable, digna de aparecer a su lado. Ella, valiente y orgullosa, puede controlar a su compañero con mucha naturalidad.

Sol en Leo – Luna en Virgo

He aquí un carácter perfeccionista, riguroso y responsable. Su lado racional matiza siempre los excesos, pero la brillante seguridad de Leo se ve un poco atenuada por algunas incertidumbres. En el plano sentimental, se observa más reserva, pudor y selectividad crítica. Ella es más bien seria, reservada, menos audaz y exhibicionista que el signo estándar, pero se muestra muy exigente cuando busca su ideal amoroso. Él desea una compañera dotada de elevados valores morales y de buenas cualidades prácticas.

Sol en Leo – Luna en Libra

En esta combinación, el autoritarismo de Leo se debilita y se colma de amabilidad y gracia. En particular se acentúa el encanto, salpicado de elegancia y algo de esnobismo; existe una buena capacidad de comprensión de los demás y un gran deseo de justicia, lealtad y armonía. La necesidad de aparentar y complacer, de sentirse aprobado, es muy intensa. Ella, muy seductora y orgullosa, es, sin embargo, capaz de adaptarse con tacto a su compañero. Él busca una mujer refinada, ponderada, por encima de la media y dispuesta a acomodarse a sus deseos.

Sol en Leo – Luna en Escorpio

Muy contrastada, esta combinación denota un carácter fuerte, determinado, orgulloso y violentamente apasionado. Se trata de personas que tienen una tendencia natural a la dominación y buscan imponerse de forma agresiva; extremistas, incluso en el bien, buscan la verdad absoluta aunque sea arriesgado. Ella es exigente y combativa; quiere sentirse admirada y esclavizar a su compañero, que debe ser interesante, pero no ha de ceder con facilidad. Él ama a las mujeres de personalidad fuerte, misteriosa y turbadora.

Sol en Leo – Luna en Sagitario

Son individuos abiertos, confiados, optimistas y generosos, pero también ingenuamente presuntuosos. Leales y extrovertidos, sus ideales son elevados, pero descuidan los detalles, lo que les conduce a cometer errores de buena fe. Su intenso amor por la vida, su espíritu positivo y su nobleza de espíritu se reflejan en sentimientos cálidos y sinceros. Tanto él como ella son capaces de grandes impulsos y se entregan sin desconfiar, con un gran sentido moral; ambos necesitan compañeros que no conozcan la mezquindad y respeten su libertad.

Sol en Leo – Luna en Capricornio

Se trata de una combinación fuertemente determinada por la ambición y el amor al poder. Son personas con objetivos claros y precisos que saben exactamente lo que deben hacer para obtener algo. En el amor, sin embargo, son prudentes y la razón suele prevalecer sobre la pasión, lo que les conduce hacia unas elecciones afectivas bien meditadas. Buscan parejas devotas que no cuestionen su autoridad, pero se muestran siempre a la altura de sus demandas. Ella es orgullosa y previsora, capaz de dar un apoyo útil a su compañero. Él es un poco brusco, huraño e introvertido.

Sol en Leo – Luna en Acuario

El Sol y la Luna en signos opuestos denotan una personalidad un poco extraña, muy individualista, que pretende imponer su punto de vista, ciertamente original, pero que los demás no siempre aceptan fácilmente. Divididos entre el egoísmo y el altruismo, consiguen seguir únicamente sus convicciones personales. Él desea una compañera autónoma y moderna, a la que sin embargo querría controlar. A ella, altiva e independiente, le resulta indispensable un compañero que le dé libertad de acción y de expresión.

Sol en Leo – Luna en Piscis

Tienen un temperamento idealista, romántico, generoso y están siempre dispuestos a emocionarse y apasionarse para defender a los débiles y a los oprimidos; su abnegación es inmensa, incluso si su falta de realismo puede conducir a una exaltación un poco confusa. Están dotados de una creatividad y de una sensibilidad notorias, y su fantasía es casi ilimitada. Tanto para él como para ella la relación sentimental debe satisfacer la necesidad de afinidades espirituales; la pasión permite elevar el alma a través del amor. Ambos están dotados de un gran sentido de devoción y sacrificio.

VIRGO
Y EL AMOR

Características de Virgo

Periodo: del 24 de agosto al 22 de septiembre
Elemento: Tierra
Cualidad: móvil, femenino
Planeta: Mercurio
Longitud zodiacal: de 150° a 180°
Casa zodiacal: sexta
Color: gris
Día: miércoles
Piedra: jade
Metal: plata
Flor: gardenia
Planta: limón
Perfume: lavanda

ELLA

La inteligencia es la primera cualidad de la nativa de este signo, que someterá al filtro de la razón todo lo que concierne al amor. Tranquila, ordenada y realista, resulta extraño que se lance la primera a una relación, puesto que el orden, material, mental y moral, es una necesidad, y quiere que las cosas queden claras, tanto para ella como para su posible compañero, antes de tomar una decisión. Posee una feminidad reservada y sobria que prefiere pasar desapercibida, tanto por timidez como porque, al estar entre «bastidores», puede observar y evaluar a los representantes del otro sexo. Su ideal masculino debe unir los dones intelectuales con las cualidades prácticas; la apariencia no ejerce ningún efecto sobre ella, y su sentido crítico, muy aguzado, le permite descubrir muy hábilmente los puntos débiles de los demás. Un cierto perfeccionismo, añadido a la inhibición, puede convertirla en reservada y descorazonar a los potenciales pretendientes. Como todos los signos de Tierra, ella es sensible a los placeres de la carne, pero es muy contenida en el aspecto sexual y ve en el abandono de los sentidos una pérdida de control inconveniente y, en consecuencia, peligrosa. Es necesario, sin embargo, remarcar que existe un aspecto menos agresivo, susceptible de utilizar su feminidad a conciencia y sin inhibiciones, pero resulta bastante parsimoniosa cuando se trata de entregar completamente su corazón.

Cuando la mujer Virgo se enamora, se revela como una compañera devota y eficaz, un poco parca en el sentido de expresar sus sentimientos, que manifiesta generalmente con gestos concretos y una gran atención a su compañero.

ÉL

Al igual que en la mujer, existen en el hombre Virgo dos tipologías fundamentales que conviven a menudo en la misma persona durante diferentes periodos de la vida, o al mismo tiempo: por una parte, una personalidad reservada, es decir, desconfiada, incierta, torpe con las mujeres, demasiado prudente y controlada para lanzarse al sentimentalismo, y cuya timidez y total falta de espontaneidad suelen impedir cualquier iniciativa amorosa; por otro lado, una personalidad menos inhibida, tan cerebral como la anterior, pero más desenvuelta, que sabe aprovechar su encanto intelectual y su finura de espíritu para acumular conquistas, cuidando de no caer en

la trampa de compromisos sentimentales insidiosos. No hay que pensar que el hombre Virgo es incapaz de experimentar sentimientos, pero tiene mucho miedo de equivocarse, de llegar a perder el control de la situación, especialmente de sí mismo, y reflexiona más de una vez antes de efectuar una elección seria.

Excluyendo pues la pasión ciega (exceptuando si tiene una connotación estrictamente sexual), para que se rinda, necesita una mujer inteligente que sepa comprender sus reservas, le ofrezca las certidumbres deseadas, y sea capaz de apreciar sus cualidades intelectuales y estimular sus razonamientos, la única forma de dar salida a una relación fundamentada en un intercambio más estimulante en el plano mental que en el afectivo. El hombre Virgo se muestra fiel y paciente, siempre dispuesto a ayudar a la mujer que ama. Para cimentar la unión, es muy importante que tengan objetivos comunes sobre los que trabajar conjuntamente, en una perfecta armonía de pensamiento y acción.

CORAZÓN, UNIÓN, RUPTURA

Tanto si se trata de una mujer como de un hombre, Virgo no debe en ningún caso ser abordado de frente, lo que significa que hay que evitar las declaraciones vehementes, las invitaciones sorpresa o las provocaciones que podrían incomodarle. Para lograr su aceptación, es necesario tener mucho tacto y discreción mediante pequeños gestos y atenciones, enviando mensajes dirigidos exclusivamente a la posible pareja, prestando libros, «probando» productos naturales... La mejor manera de implicar a los Virgo consiste en hacerles sentir una afinidad de pensamiento y de intereses, puesto que sólo a partir de esta base común podrán aceptar que se les corteje, después de una amistad afectuosa. Muy conscientes de sus límites, los Virgo tienen a menudo tendencia a infravalorarse y temen mucho ser ridiculizados; son tan prudentes que sólo otorgan su confianza de manera progresiva, y entonces, se debe ser muy paciente para conseguir romper poco a poco sus defensas y acabar con su contención. Es necesario convencerlos de que estamos realmente interesados en ellos, que no nos burlamos y que estamos dispuestos a aceptarlos como son, con sus cualidades y sus defectos. Una vez superada la desconfianza inicial, se trata de pasar de las palabras a los hechos: los Virgo son personas pragmáticas que sólo confían en las experiencias concretas y que no se dejan seducir con facilidad. Buscan una relación seria, no están hechas para uniones intensas y atormentadas, y no buscan retener a su compañero; es más bien probable que se sometan a una personalidad más fuerte que la suya. La razón les permite controlar sus emociones y sus sentimientos, pero una vez tocados por el amor, muestran un apego y una devoción que concretan en cada gesto y a cada momento. Pero no debe creerse que se trata de personas sumisas y pasi-

vas, puesto que sus críticas son acerbas; nada se les escapa, y llaman al orden y a la eficacia a la pareja. La vida con un Virgo está sometida a normas, ritmos y costumbres bien organizadas (les gustan los rituales, incluso en materia de sexo, pues puede convertirse en una complicidad agradable en el seno de la pareja). Los Virgo detestan la improvisación y el «más o menos», y es necesario hacer las cosas correctamente para satisfacerles, puesto que para ellos la calidad prima sobre la cantidad.

Para ser felices, necesitan un compañero o una compañera que los aprecie tanto por sus cualidades prácticas como por las intelectuales y, en este último aspecto, mucho mejor si la pareja es más brillante que ellos, ya que esto les incita a mejorar.

En caso de pensar en una vida amorosa más excitante, podrá poner en fuga a Virgo convirtiéndose de golpe en desordenado y malgastador. Si se trata de un hombre, rehúse toda previsión y proclame que quiere vivir al día; si se trata de una mujer, abra la vía de las comparaciones con otras mujeres más audaces y seductoras.

RELACIÓN
CON LOS OTROS SIGNOS

VIRGO – ARIES

A primera vista, existe poca armonía: la Tierra, elemento de Virgo, inspira prudencia, el gusto por una vida tranquila y ordenada en la que el amor debe respetar unas normas determinadas y aportar unas garantías precisas; por otro lado, Aries, signo de Fuego, está siempre a punto de inflamarse y de lanzarse entusiasmado a relaciones amorosas que prometen estimulantes aventuras. Resulta entonces extraño que la chispa mágica prenda, pero la intervención de otros planetas en signos cómplices puede ayudarles a superar los prejuicios, a conocerse mejor y a que acaben apreciándose. Queda claro que Aries, ya sea hombre, ya mujer, tomará la iniciativa trastornando las defensas de Virgo sin dejarle tiempo para reflexionar. Y si Aries está lo suficientemente atento como para no forzar a Virgo a lanzarse a una carrera loca y continua, el paso más importante ya estará dado. En resumidas cuentas, Virgo estará agradecido a Aries por haberse avanzado, ya que no es seguro que la relación se hubiera podido iniciar si se hubieran respetado sus reticencias iniciales. La vehemencia de Aries le ha dado una perfecta excusa para abandonar su proverbial reserva, mientras que, por su parte, este dará la impresión

de estar dotado de una increíble paciencia por haber sabido esperar a que Virgo pusiera en orden sus minuciosos razonamientos. De esta manera, comienza una relación insólita que, si consigue superar la primera fase, tiene muchas posibilidades de durar. Virgo no cuestionará el liderazgo de Aries y estará contento de poner sus cualidades prácticas e intelectuales al servicio de su compañero; sin embargo, no aceptará ninguna iniciativa sin discutirla antes, y estará atento, dispuesto a enderezar el camino, a frenar los impulsos que resulten demasiado apasionados, a moderar la improvisación y a inducir a Aries a reflexionar, comprobar y planificar las cosas.

Además, la presencia de un Aries al lado de Virgo aleja el aburrimiento que amenaza siempre la existencia metódica de este, y su entusiasmo renueva su confianza eliminando cualquier cuestionamiento.

VIRGO – TAURO

He aquí dos signos de Tierra que forman una pareja inseparable y que se entienden muy bien. Los intereses comunes, la armonía de sus puntos de vista y de sus aspiraciones ofrecen un terreno abonado para el entendimiento; a ambos les gusta la naturaleza, las cosas sencillas, el orden y la organización. Planificadores realistas y atentos, incluso en el amor, aspiran a unos lazos sólidos y fiables, que les ofrezcan un soporte recíproco, tanto moral como material y sin sorpresas. Generalmente es Tauro (hombre o mujer) quien se pronuncia en primer lugar: Virgo se limita a lanzar señales, pero resulta extraño que tome la iniciativa. Por otra parte, Tauro sabe instintivamente cómo utilizar su encanto venusiano para derribar las barreras de Virgo, y entonces no es difícil que nazca un entendimiento espontáneo con unas posibilidades excelentes de consolidación. También es cierto que existen diferencias palpables entre ambos: Tauro, más sensual, recto y testarudo, está dotado de una serena alegría de vivir, detesta las complicaciones, las elucubraciones y tiende a lo esencial, sin cuestionarse; por el contrario, Virgo lo filtra todo, su compleja psicología está tejida por dudas y contradicciones, y las certezas materiales le sirven de referencia para superar sus dudas crónicas. Una vez comprendido el carácter de Tauro, Virgo se siente cómodo, apoyado y reafirmado, e importa poco si su compañero no se muestra siempre a la altura de su refinamiento intelectual. También es necesario remarcar que si Virgo no supera completamente sus reservas, se arriesga a decepcionar las atenciones sexuales de Tauro, quien, insatisfecho, puede buscar una compensación mediante evasiones de carácter estrictamente erótico. Pero, a excepción de estos

puntos débiles, la pareja Virgo-Tauro tiene todas las cartas en la mano para funcionar a la perfección: evoluciona con prudencia y diligencia en un entorno con unos límites bien definidos: el bienestar del hogar y de la familia es lo que más les importa, y hacen todo lo posible para preservarlos de las trampas de lo imprevisto. Pero el aburrimiento puede poner límites a esta relación.

VIRGO – GÉMINIS

Se trata de una pareja que desborda incertidumbre, la que aportan dos signos tan parecidos y, sin embargo, tan distintos. Ambos son signos móviles regidos por Mercurio, poseen una «delicadeza de espíritu», un penetrante sentido crítico y una lengua muy afilada. Entre ellos, la empatía es inmediata, y nace a partir de sutiles provocaciones verbales y desafíos intelectuales: pueden pasarse horas discutiendo sobre una película, un espectáculo que han visto o un libro que han leído, y consagran muchísimo tiempo a reírse a expensas de los demás. En resumen, todo esto no tiene que ver nada con la pasión (una debilidad a la que ninguno está sujeto); se trata más bien del encuentro de dos formas de pensar, de ideas y de juicios que les excitan mucho más que las curvas femeninas o los músculos masculinos. Pero este denominador común no excluye grandes diferencias de carácter entre estos nativos: siempre a la búsqueda de novedades, los Géminis se dispersan por mil caminos distintos, expresan su profunda inquietud asumiendo papeles siempre diferentes; por el contrario, Virgo, consciente de su incertidumbre, busca un apoyo para sus acciones concretas edificando un mundo limpio y ordenado en el cual no exista el riesgo de perderse. Es, pues, muy previsible que la caótica originalidad de Géminis resulte muy desagradable al metódico Virgo, que siente pánico ante cualquier situación que escape a su control; de la misma forma, el primero se ahoga en el universo planificado de Virgo, sometido a unas normas y unos ritmos estrictos. Así pues, entre ellos, una amistad afectuosa puede ofrecer buenos estímulos culturales, una confrontación de estilos y de opiniones fascinante, mientras que la convivencia pondría al desnudo despiadadamente los defectos de cada uno, y los sometería a un gran sufrimiento. La química sólo funciona en los casos de personalidades abiertas, capaces de utilizar la dualidad mercuriana para comprender las razones del otro sin atrincherarse en las propias; si no, la intervención de correcciones astrales de los planetas en los signos adecuados resulta indispensable.

VIRGO – CÁNCER

Ambos nativos deberán superar una cierta desconfianza mutua, pero el encuentro entre ellos promete unos resultados interesantes. El Agua de Cáncer puede ablandar y fecundar la Tierra, elemento al que pertenece Virgo, y su dulce y reconfortante ternura tiene el poder de fundir las reservas de este, de incitarlo a la dulzura y a dejarse ir, a acoger el don del amor que con tanta generosidad

se le ofrece. Cáncer comprende bien las reservas del otro signo, puesto que él también es tímido y desconfiado con los extraños; por su parte, Virgo no pretende forzar los hechos, y actúa con tacto y discreción en las maniobras de acercamiento. De esta forma, puede nacer progresivamente un amor profundo: el hombre Cáncer encontrará en la mujer Virgo una «madre» atenta y muy eficaz, que instaurará un orden definitivo al eliminar de su vida la angustia y la nostalgia; la mujer Virgo estará contenta al ver que su pareja depende de ella y de sus atenciones, lo que recompensará con mucha sensualidad y una gran devoción amorosa. Por su parte, la mujer Cáncer se verá gratificada por las pequeñas atenciones de las que es capaz el hombre Virgo, y será todavía más feliz al poder confiar en él para resolver los aburridos problemas prácticos que tanto detesta, una tarea que asumirá encantado su compañero y por la que será compensado con el explícito y constante afecto de su pareja. Existen, sin embargo, algunas zonas oscuras: el racional Virgo no comprende bien la delicada sensibilidad de Cáncer, que se siente incapaz de dialogar con su pareja desde un punto de vista intuitivo y que tiende a considerar estos momentos de introspección como una pérdida de tiempo. Por su parte, Cáncer puede acusar a Virgo de aridez espiritual, avaricia y falta de imaginación. Sin embargo, estos son problemas fáciles de superar: ambos pueden dar y recibir mucho, basta con un poco de tolerancia mutua para vivir una relación interesante, serena y equilibrada.

VIRGO – LEO

No se trata de una pareja fácil de encontrar, pero cuando surge el amor, puede revelarse como más duradero de lo que se pensaba. Virgo se siente impresionado por la soberbia majestad de Leo, pero jamás se arriesgará a dar el primer paso, pues su tendencia a infravalorarse le lleva a desear que este lo premie con una mirada magnánima. Y a veces Leo lo hará esperar durante mucho tiempo, pero, menos superficial de lo que aparenta, percibe la agudeza de su espíritu y la finura de su intelecto, ocultas ambas bajo una apariencia modesta. A decir verdad, el comportamiento teatral de Leo suscita cierta desconfianza en Virgo, realista y poco curioso, de la misma forma que Leo juzga como demasiado restrictivos los gustos sencillos y poco costosos de Virgo. No faltan pues tópicos ni diferencias de carácter y gustos, incluso sexuales: los Leo, ardientes y apasionados, tienen un ritmo vigoroso y expeditivo, mientras que los Virgo, más bien tibios, necesitan respetar los rituales precisos, y usar estímulos cerebrales y físicos. Por todas estas razones resulta difícil que puedan tener demasiado interés en conocerse y establecer una relación. En las pocas ocasiones en que esto sucede, puede surgir un vínculo que dará sus frutos si ambos saben compartir los derechos y las obligaciones; tal y como debe ser, Leo asumirá inmediatamente la autoridad de «jefe», y Virgo no tendrá inconveniente en adaptarse al papel de asistente, ejerciendo tan bien esta tarea que resultará irremplazable. Es ahí donde reside su fuerza oculta: de apariencia modesta y sin pretensiones, se implica con cuidado, lo que no significa pasividad, sino una manera particular de expresar la importancia que da a un objetivo o a una persona. Pero si Leo puede contar con su apoyo, tan apreciado para las tareas prácticas y tan útil para evaluar y razonar, es únicamente porque Virgo, hombre o mujer, lo acepta y lo ama profundamente; en caso contrario, se verá cuestionado por este espíritu polémico tan propio de su compañero.

VIRGO – VIRGO

Al tratarse del mismo signo, la relación depende mucho de las personas en particular. Si ambos nativos pertenecen al tipo inhibido y reservado que corresponde perfectamente a los esquemas del signo (orden, meticulosidad, detallismo, sentido práctico, avaricia, etc.), el entendimiento puede ser fácil aunque limitado, y se puede asistir al encuentro de dos seres parecidos que no tienen ninguna necesidad de explicarse. Aunque resulta difícil predecir cuál de los dos se arriesgará primero a superar su timidez y a dar el paso decisivo, ambos se entenderán perfectamente y sabrán construir un hogar perfecto al abrigo de cualquier imprevisto, en el que la pasión estará alejada y donde un prudente realismo reinará por encima de todo. Una relación como esta tiene muchas posibilidades de duración, pero como es difícil encontrar a dos personas «puras», una existencia tan predecible y tan bien organizada tiene el riesgo de resultar, tarde o temprano, aburrida para uno de los dos. No obstante, existe también un tipo de Virgo desacomplejado que rehúsa cualquier freno moralizante y convierte en cuestión de honor la transgresión de las reglas, que lleva a cabo con la precisión metódica propia del signo: si dos personalidades de esta misma tipología se encuentran, la relación será probablemente más intensa e interesante, pero correrá el riesgo de agotar a ambos protagonistas, que sucumbirán a instintos caóticos y a sentimientos de culpabilidad. Al no encontrar en la pareja la seguridad que íntimamente desean, aunque la rechacen de palabra, se verán forzados a buscar la serenidad y la satisfacción en brazos de otro, lo que les sumirá en una confusión mayor. Pero, como también es difícil encontrar parejas «puras» en este caso, uno u otro deberá dar marcha atrás en algún momento. Las posibilidades entre estos dos extremos son numerosas y están en función de las diversas disposiciones planetarias, pero la incertidumbre, el nerviosismo y un despiadado sentido

crítico se situarán en contra de una relación sobre la cual el sentido común y la experiencia sugieren que es mejor no intentar convertirla en duradera.

VIRGO – LIBRA

El amor entre estos dos signos se inicia casi siempre con una relación de amistad; tienen pocas cosas en común, pero cuando se encuentran, quedan favorablemente impresionados, puesto que son comedidos, discretos y cuidan las formas. Repiten esta agradable experiencia, avanzando progresivamente hacia un mejor conocimiento recíproco, y, como ninguno de los dos está sujeto a los tormentos de la pasión, necesitan algo de tiempo para entrar en el meollo de la cuestión. Se enamoran lentamente y este amor se desarrolla porque se sienten a gusto juntos: prolongan siempre los adioses en el momento de

separarse y se dan cuenta de que no quieren estar el uno sin el otro hasta que deciden declararse su amor. Así se inicia una relación serena que se desarrollará tranquilamente, sin sobresaltos ni altercados, puesto que a Libra le gusta la armonía, Virgo es perfeccionista, y ambos buscan una relación que se fundamente en la honestidad, la claridad y los intereses culturales compartidos, en la que ninguno de los dos pretende dominar al otro, y en la que progresan codo a codo, sobre un equilibrio suave y refinado entre los sentimientos y la razón.

Es, pues, bastante previsible que, tarde o temprano, estos dos tortolitos se encaminen hacia un matrimonio muy meditado que promete ser perfecto, armonioso y extremadamente tranquilo.

¿Se sentirán realmente satisfechos? La duda permanece, puesto que, efectivamente, puede ser que nada ni nadie turbe esta paz celestial y que Virgo y Libra sigan viviendo de esta forma su impecable unión. Pero un pequeño imprevisto siempre es posible, incluso probable y a veces deseable, ya que el riesgo de este tipo de pareja consiste en encerrarse en su propia perfección y perder la espontaneidad, el entusiasmo y, finalmente, la felicidad.

Así pues, tarde o temprano, uno de los dos acabará por aburrirse y, de forma más o menos consciente, saldrá a buscar nuevas emociones; en el caso de que encuentre a alguien que despierte un poco su interés, el entendimiento demasiado perfecto de su unión podría romperse definitivamente.

VIRGO – ESCORPIO

La relación entre estos dos signos, que poseen los espíritus más agudos del zodiaco, pero también unos caracteres muy complicados, es contradictoria y cautivadora. Escorpio ha nacido para hacer caer a Virgo en sus trampas y neutraliza con astucia sus defensas con su encanto magnético; lo incita a liberar su naturaleza reprimida, a enamorarse con el cuerpo y el espíritu. Escorpio también es célebre por sus elucubraciones mentales, sus acertadas observaciones y sus comentarios, que atraen como un imán a Virgo, siempre interesado por el desafío intelectual, el contraste de opiniones (si se acompaña con una polémica pequeña e irrespetuosa, es todavía mejor). La demostración de estas cualidades es el «caballo de Troya» de Escorpio, el cual utiliza para destruir las barreras defensivas de Virgo y romper toda resistencia posterior. A veces, presa consciente de la turbia seducción de Escorpio, Virgo intenta acallar sus sentimientos de culpabilidad, siempre presentes cuando transgrede su código de comportamiento, mientras que el otro asiste con una complacencia, no exenta de crueldad, a los conflictos íntimos de su pareja, sintiéndose orgulloso de ser la causa de tanto ruido.

Si Virgo no puede superar el problema y decide reprimir su lado oscuro, la historia quedará ahí, con un suspiro de alivio pero también, quizá, con un poco de añoranza. Por el contrario, si el encuentro con Escorpio impulsa a Virgo a descubrir y a aceptar la otra cara de su naturaleza, puede nacer una relación fecunda y estimulante entre ambos signos, incluso si reviste un cierto sadomasoquismo. Virgo conseguirá desenvolverse inteligentemente en las ambivalencias de esta relación, sin llegar a perder su orden interno; Escorpio, liberado de sus instintos destructores, empleará su valentía y su sangre fría para resolver de forma magistral las situaciones imprevistas que amenazan con sembrar el pánico en Virgo.

VIRGO – SAGITARIO

Un cruce planetario complicado rige el encuentro entre estos dos signos móviles, capaces de detestarse cordialmente, pero también de establecer un sólido lazo a pesar de las apariencias. Es necesario ante todo que salte el resorte de la atracción, algo que no es frecuente, en la medida en que ambos signos son lo bastante diferentes como para no interesarse el uno por el otro. Pero los caminos del destino son infinitos y es posible asistir al encuentro fatal que impulsa al (o la) Sagitario a la conquista de Virgo. Es probable que este último ya lo haya descubierto pero que no se atreva a dar el paso, lo que no supone ningún problema, puesto que Sagitario, con su proverbial exuberancia, acelerará el proceso y, en menos que canta un gallo, hará desaparecer toda duda. Se sabrá rápidamente si la relación será duradera y esto vendrá en función de la capacidad de entenderse y de adaptarse, y también de la edad de los interesados. El entendimiento es sin duda

más difícil entre los jóvenes que viven plenamente y llevan casi al extremo las cualidades y los defectos de su signo; por el contrario, en la madurez, existen más probabilidades de que el vínculo se profundice. En ambos casos, las diferencias de carácter son tan evidentes que se manifiestan de inmediato: la meticulosidad de Virgo, su manía por el orden y su excesiva precisión resultan mortalmente aburridas para el desordenado Sagitario, pero igualmente útiles cuando le sacan de los problemas producidos por su imprevisión y ligereza. Además, el espíritu de aventura y el deseo de improvisación de Sagitario desagradan profundamente al prudente Virgo, pero la calidez de su entusiasmo sabrá reconfortarle y darle ánimos para tomar la vida por el lado bueno; ambos comparten el gusto por los placeres sencillos, por la naturaleza y por los animales, y tienen también una cierta tendencia al deporte. Además, los Sagitario más sensibles no quedan indiferentes ante los encantos culturales, a los que el abierto Virgo se consagra con entusiasmo, y este elemento resulta muy estimulante.

VIRGO – CAPRICORNIO

Se trata de una unión muy «terrenal» que se enraíza sobre tierra firme y tiene casi siempre muchas posibilidades de prosperar y durar. Saturno, el planeta de Capricornio, otorga a sus protegidos un sentido práctico todavía más riguroso que el de Virgo. Ambos tienen, pues, métodos muy parecidos para evaluar el amor y aspiran a una pareja seria, fiable, capaz de satisfacer no sólo las exigencias de su corazón, sino también las de la vida práctica. Los bandazos a ciegas son casi imposibles, y la vía del amor no se libera hasta haber hecho una evaluación atenta y meticulosa del posible pretendiente. Virgo aprecia la sobria seguridad de Capricornio, la austeridad de sus modales, el pragmatismo del que hace gala al privilegiar las acciones sobre las palabras. A Capricornio le gusta la laboriosa modestia de Virgo, la agudeza de sus razonamientos y su exigencia de un orden existencial.

Al principio, les acerca más un sentimiento de estima que de amor, y ambos se muestran algo reservados y rígidos, por lo que les hará falta vencer algunas resistencias antes de decidirse a reconocer que la amistad se está transformando en algo más serio.

Pero una vez dado este paso decisivo, descubrirán que no les unen tan sólo objetivos razonables y razonados. El placer de los sentidos ocupa un lugar destacado en esta pareja de apariencia fría y reservada, puesto que ambos ocultan celosamente su vida privada; Capricornio tiene las cualidades ideales para debilitar la cautela de Virgo y encaminarla hacia una sexualidad satisfactoria para ambos, incluso si este no es especialmente fantasioso. La pareja Virgo-Capricornio incluye entre sus proyectos a largo plazo casarse y fundar una familia, excepto si se trata de dos personalidades muy independientes que sólo piensan en su carrera profesional; la

vida en pareja se verá entonces impregnada por una eficacia impecable y asegurarán a su prole, educada con cariño pero sin una sombra de permisividad, un porvenir confortable.

VIRGO – ACUARIO
Se trata de una pareja muy improbable formada por el puntilloso y metódico Virgo y el rebelde e incon-

formista Acuario. En el mejor de los casos, existe una especie de entusiasmo intelectual que podría pasar por amor a ojos de la pareja. La imprevisión de Acuario no tolera demasiado tiempo la manía de Virgo de programarlo todo, y este se encuentra demasiado desorientado por los imprevistos cambios de una pareja que está dispuesta a sacrificarlo todo en aras de su libertad. Ninguno de los dos puede definirse como apasionado, incluso aunque existe un abismo entre la prudente reserva de Virgo y la extrema desenvoltura de Acuario. A pesar de su aguda inteligencia, los dos pueden dejarse engañar por su recíproca curiosidad y por el placer que experimentan en los combates dialécticos, ya que, como saben transformar la rivalidad intelectual en una estimulante amistad, piensan que el amor puede seguir el mismo proceso. Pero el pragmatismo extremo puede equivocarse, especialmente cuando cree controlar las fuerzas más indisciplinadas, como las emociones y los sentimientos. Es cierto, en resumen, que si ambos se aventuran más allá de las fronteras del afecto amistoso, de la relación atrayente y desprovista de compromiso, se encuentran ante un conflicto difícil de resolver. Acuario, particularmente, se sentirá prisionero, pues sufre mucho cuando se ve obligado a respetar ciertos límites y reglas demasiado estrictos, y no esperará mucho tiempo para derribar barreras y subvertir el orden que Virgo intenta establecer. Entonces, será este quien sufrirá al ver las normas que rigen su vida constantemente transgredidas y sus programas modificados. Así pues, es casi inevitable que Acuario se otorgue espacios de libertad cada vez más frecuentes y prolongados, y que Virgo se vuelva cada vez más polémico, hasta que la relación toque a su fin.

VIRGO – PISCIS

El encuentro de los opuestos permite que nazca una relación fascinante pero muy inestable: los signos implicados, ambos móviles, no ofrecen la posibilidad de hacer previsiones fiables sobre el resultado final. Es innegable que ambos nativos viven en mundos completamente distintos: tan caprichosos como las olas, siempre dispuestos a cambiar de humor, los Piscis evolucionan en un universo fantasmagórico donde siguen su intuición y la inspiración del momento; por el contrario, los Virgo tienen los pies sólidamente anclados en la tierra, sobre la que avanzan con mucho cuidado, definiendo con detalle las fronteras de su radio de acción. Los Virgo temen todo lo que es irracional y, por esta razón, erigen una serie de defensas susceptibles de ponerlos al abrigo de las tentaciones peligrosas. Pero estas barreras corren el peligro de ser eliminadas de un manotazo, cuando un Virgo encuentra a un Piscis, ya que, a menos que decida huir, vive una experiencia fundamental que tiene el poder de trastornarlo. Piscis seduce por la dulzura de su personalidad, una especie de flauta de Hamelín; fascina dejando entrever un mundo fantástico al alcance de la mano: sólo con seguirlo, el sueño se realizará. Así, Virgo, atento pero sin defensas, se deja invadir por la ola de emoción y de sensualidad levantada por el irresistible Piscis y penetra en una dimensión desconocida que puede llevarlo al éxtasis amoroso. La fase difícil empieza cuando, pasada la euforia del amor, ambos se miran cara a cara y descubren sus defectos: Virgo, recobrada su sobriedad, se da cuenta de que Piscis es incorregiblemente desordenado, capaz de sembrar el caos allí donde él (o ella) acaba de poner orden; por el contrario, Piscis, convencido de haber conquistado a Virgo gracias a su forma de vida, percibe con gran desasosiego que su manía de precisión y de planifica- ción aflora de nuevo, a la vez que su despiadado sentido crítico. A menos que ambos sean personas realmente abiertas, capaces de mezclar armoniosamente sus características contrarias, es lícito pensar que esta relación durará poco.

Las combinaciones del Sol y de la Luna

Sol en Virgo – Luna en Aries

En esta combinación, el temperamento prudente y reflexivo de Virgo tiene vigorosos impulsos que se expresan a través de un espíritu crítico y agresivo: se percibe una tendencia a la polémica. Impulsiva y susceptible, ella añade una fuerte voluntad dominadora al intelectualismo: si se somete, es porque renuncia voluntariamente a una parte de sí misma. Él, más audaz y emprendedor que el nativo estándar, busca una compañera temperamental y que sea capaz de entusiasmarse por una idea.

Sol en Virgo – Luna en Tauro

Es una combinación muy terrenal que exalta el deseo de cosas estables y fiables, tanto en el afecto como en la vida. Utilitarismo, pragmatismo, planificación y parsimonia constituyen los rasgos característicos de esta personalidad. Pero la frialdad racional de Virgo está fecundada por una Luna hedonista y voluptuosa y existe, pues, una cierta tendencia a disfrutar de las alegrías de la vida y de los placeres naturales, incluido el sexo. Su feminidad sencilla y sensual la convierte en una compañera fiel y afectuosa. Él desea una mujer tangible, fiable, maternal y sentimental.

Sol en Virgo – Luna en Géminis

El pragmatismo toma el poder. En estas personas, las cualidades intelectuales están exacerbadas y el espíritu analítico se enriquece mediante expresiones y múltiples centros de interés. La sociabilidad es buena, pero se acompaña con una aguda mirada crítica centrada en las personas y en las situaciones. El nerviosismo y la inquietud íntima y sentimental están muy marcados. Ella brilla por su encanto cerebral y, aunque sentimentalmente es un poco fría, puede dejarse ir cuando su lado adolescente predomina. Él, distante y escéptico, busca una mujer divertida, inteligente y juvenil.

Sol en Virgo – Luna en Cáncer

El sueño y la emoción se infiltran en el lado racional del signo y permiten aumentar la sensibilidad acentuando la angustia, el miedo y la introversión. El espíritu de iniciativa es débil, y aflora la tendencia a construir un refugio limpio y ordenado. Estas personalidades están dotadas de un espíritu servicial y les gusta ocuparse de los demás con gran devoción. Ella, madre y esposa amante y eficaz, está un poco obsesionada por la vida doméstica y familiar. Él desea encontrar una compañera con fuertes connotaciones maternales y que le cuide con esmero.

Sol en Virgo – Luna en Leo

En esta combinación, la naturaleza prudente de Virgo se vuelve audaz y voluntariosa, acompañada por un significativo espíritu de afirmación. Se trata de unos individuos concienzudos y perfeccionistas, en los que la necesidad de sentirse útiles alcanza aspectos grandiosos y generosos, que se unen al deseo de admiración y éxito. Ella, segura de sí misma, es capaz de dar muestra de grandes cualidades personales y es ambiciosa, más inclinada a dominar que a someterse. Él proyecta este tipo de cualidades sobre la mujer ideal, que debe ser solar, prestigiosa y dotada de una fuerte personalidad.

Sol y Luna en Virgo

Las características prácticas y racionales del signo, es decir, la precisión, el análisis y el realismo prudente, están especialmente acentuadas. Pero un autocontrol excesivo anula la espontaneidad y reprime emociones y acciones: piensa demasiado, y siente y actúa poco. Aunque muy inteligentes, estos individuos son modestos y tímidos, especialmente al expresar sus afectos, frenados por inhibiciones complejas. Tanto él como ella temen entregarse a los sentimientos: por esta razón sus elecciones les llevan hacia compañeros que les garanticen certidumbre y estabilidad.

Sol en Virgo – Luna en Libra

Tienen un carácter tranquilo y perfeccionista, y aprecian las formalidades, el orden, la armonía moral y estética. La discreción, un comportamiento amable y una buena sociabilidad les caracterizan. Su gran deseo de aprobación debilita su sentido crítico y tienden a no querer herir a los demás. La pasión es tibia, mientras que el deseo de gustar a los otros es muy vivo. Ella es amable y refinada, muy dada a identificarse con su pareja. Él desea una compañera que colabore con él y que esté dotada de tacto y de buen gusto.

Sol en Virgo – Luna en Escorpio

En esta combinación, el sentido crítico, la lucidez intelectual, la capacidad de análisis y de introspección se exaltan. La contención, el secreto y la reticencia a abrirse a los demás y a admitir sus propios tormentos íntimos son igualmente intensos; las contradicciones y las ganas de transgresión son más fuertes que la media y el autocontrol resulta difícil. Él busca una mujer perturbadora, profunda y un poco cruel. Ella tiene tendencia a liberar su instinto con comportamientos rebeldes, agresivos y conflictivos.

Sol en Virgo – Luna en Sagitario

La aspiración a sentirse útil, característica del signo, se ensancha y se tiñe de idealismo y de generosidad. Se trata de personas concienzudas, que desean aprender, mejorar y cumplir con su deber con una puntillosa buena voluntad. El carácter es más abierto y confiado, en beneficio de la vida afectiva. Activa y moralista, ella no se deja someter. Él busca una mujer dinámica y capaz de entusiasmarse.

Sol en Virgo – Luna en Capricornio

Son individuos severos, responsables y ambiciosos, con un espíritu matemático y lógico, que descartan la emotividad y la fantasía. Previsores y planificadores, temen los imprevistos, entre los cuales se halla el amor. Se encuentran a la defensiva en el plano sentimental, tienen miedo al rechazo y al fracaso, y llevan a cabo sus elecciones sobre consideraciones utilitarias. Tanto él como ella necesitan compañeros austeros y sin caprichos, pero también pueden preferir realizarse de otra manera que no sea a través del amor.

Sol en Virgo – Luna en Acuario

La razón se asocia a la experimentación con excelentes resultados desde el punto de vista intelectual; lo mental es pragmático, técnico e innovador. El sentimiento de libertad personal está vivo, pero el corazón es bastante frío. El signo observa a los otros a distancia y encara los propios sentimientos con desapego. Son personas que difícilmente se implican pero las afinidades electivas pueden ayudarles a encontrar el amor. Tanto él como ella necesitan vínculos ligeros, abiertos y poco convencionales.

Sol en Virgo – Luna en Piscis

He aquí una personalidad rica en contrastes, en equilibrio entre el sueño y la realidad, lo finito y el infinito, la sensibilidad y la razón. Se caracteriza por la humildad, la amabilidad y la disponibilidad, pero quizás es excesivamente modesta y se encuentra demasiado sumida en la duda para valorarse adecuadamente. La iniciativa es débil y tiende más a seguir que a imponerse. La vida sentimental puede ser complicada, con altibajos o vínculos de doble filo. Ella ama con mucha devoción pero puede dejarse manipular y someter. Él busca una mujer etérea capaz de despertar su lado místico y mágico.

LIBRA
Y EL AMOR

Características de Libra

Periodo: del 23 de septiembre al 22 de octubre
Elemento: Aire
Cualidad: cardinal, masculino
Planeta: Venus
Longitud zodiacal: de 180° a 210°
Casa zodiacal: séptima
Color: rosa
Día: viernes
Piedra: coral rosa
Metal: cobre
Flor: jacinto
Planta: melocotonero
Perfume: verbena

ELLA

Nacida bajo un signo regido por Venus, ella es dulce y graciosa, capaz de valorar las cualidades que le ha dado la madre naturaleza para mejorar su apariencia, y su encanto es una mezcla de armonía, amabilidad y afabilidad. Su personalidad se enriquece mediante la relación con los demás, cosa que le resulta fácil, puesto que se trata de una criatura muy agradable, siempre rodeada de amigos y de admiradores. Profesa un verdadero culto al amor, que tiende a idealizar con el perfeccionismo que la caracteriza: romántica pero desapasionada, se realiza plenamente al lado de un hombre que debe ser perfecto tanto en el plano estético como en el espiritual. Para no quedarse sola, cosa que detesta, ha de esforzarse para superar su indecisión crónica y efectuar la elección, aunque no satisfaga su ideal masculino. Está dotada de una sensualidad sutil, que hay que despertar con tacto y delicadeza: siente horror por la vulgaridad, los modales bruscos y los acercamientos demasiado explícitos. Diplomática y refinada, a menudo provista de talento artístico, se siente inclinada de forma natural a satisfacer a los demás, pues necesita sentirse amada y aceptada; no soporta los conflictos y la competición, y desea vivir en paz. En el seno de la pareja aporta lo mejor de sí misma: considera la unión amorosa como algo primordial y se aboca a ella con entusiasmo, consagrándose totalmente a su compañero.

No es especialmente posesiva, pero el miedo a perder al ser amado puede convertirla en celosa y desconfiada; hay que cubrirla constantemente de halagos, atenciones y ternura para que sea feliz.

ÉL
Es una personalidad serena y tranquila que raramente pierde su impasibilidad. Calmado y controlado, no le gustan las manifestaciones de fuerza ni tampoco los comportamientos ruidosos y turbulentos; intenta mantener en su entorno una atmósfera reconfortante, y es una persona que acepta muy bien a los demás. Pero, al igual que la mujer Libra, tiene angustias e incertidumbres que sabe controlar, puesto que cree que toda manifestación sentimental incontrolada es desagradable, incluso inconveniente. Cortés y complaciente, gusta mucho a las mujeres gracias a su contención, su galantería y su romanticismo: ser objeto de sus atenciones significa sentirse única y deliciosa. No le falta el encanto y puede acumular numerosas conquistas; le resulta difícil

elegir, puesto que sufre una incertidumbre crónica: el miedo a equivocarse lo impulsa a demorar indefinidamente las decisiones importantes, dejando a menudo que los otros (en este caso, las mujeres) las tomen por él. Sin embargo, el deseo de una unión estable es muy vivo, razón por la cual acepta casarse con facilidad, o por lo menos implicarse en una relación seria; quiere una mujer ponderada y con buen gusto, que no sea ni apasionada ni agresiva, pero con una personalidad lo bastante fuerte como para orientarlo en sus decisiones y darle apoyo.

De carácter conciliador, tiene, no obstante, una cierta vanidad egocéntrica y le gustan los cumplidos y las manifestaciones de admiración respecto a su apariencia. No es infiel por naturaleza, pero puede permitirse algunas aventuras sin importancia si siente la necesidad de afirmar su poder de seducción.

CORAZÓN, UNIÓN, RUPTURA
Estos «hijos de Venus» parecen nacidos para el cortejo, puesto que poseen un auténtico don para la seducción, un talento particular para ofrecerse y cautivar la atención de los demás. No lo hacen de forma premeditada o por astucia y todo lo que va unido al amor está inscrito en su personalidad; saben adivinar con naturalidad lo que se espera de ellos y se comportan de la forma más adecuada para despertar sentimientos de simpatía, admiración y deseo. Cuidan mucho su apariencia, adop-

tan comportamientos mesurados y están siempre atentos para dar una buena imagen; disponen automáticamente de un amplio muestrario en el que elegir un compañero, aunque suelen dar la impresión de no ser ellos quienes deciden. Para conquistar a un Libra, hombre o mujer, se necesita tacto, amabilidad y una pizca de romanticismo; son unos estetas convencidos y un aspecto agradable es de gran ayuda, pero también dan gran importancia al refinamiento, a la armonía interior de los eventuales aspirantes, y es evidente que no se sienten atraídos por personalidades batalladoras o con un temperamento demasiado visceral.

Tanto él como ella no tienen tendencia a imponerse y su carácter conciliador, poco agresivo, los convierte en particularmente agradables para aquellos dotados de una personalidad fuerte. Diplomáticos y flexibles, saben adaptarse sin problemas a las parejas más diferentes, pero no hay que pensar que son pasivos o que están desprovistos de sentido crítico: al contrario, son muy rigurosos y pueden encubrir rigideces insospechadas, pero su idealización del amor les impulsa a hacer lo que haga falta para que la relación funcione a la perfección, e intentan satisfacer siempre a la persona amada. Bien es verdad que, si se dan cuenta de que les engañan, cambian completamente, pero sólo después de haberlo intentado todo para recomponer el vínculo. Con lo dicho anteriormente es fácil comprender que la vida con un Libra puede transcurrir en una serenidad armoniosa, pero no hay que caer en el error de considerar que todo está hecho y confiar en su indulgencia. No hay que dejar nunca de halagarlo, de ofrecerle un pequeño regalo, de tener pequeñas atenciones con él; el hombre también aprecia mucho estas manifestaciones de amor, pues pretende sentirse en el centro del mundo de su amada. En cuanto a la mujer, desea sentirse protegida por su enamorado y tener la certidumbre de poder contar con él pase lo que pase. El error consistiría en dejarse ir, pues el sentido estético de Libra se verá afectado de forma desfavorable. Refinados, incluso en el plano erótico, aprecian los ambientes suaves, los acercamientos dulces y progresivos, y los asedios vigorosos y expeditivos no les convienen en absoluto. Para aterrorizarlos e inducirlos a la ruptura, la táctica más fiable consiste en dar muestras de vulgaridad, discutir con violencia (especialmente en público), montar escenas de celos sin razón y herir su susceptibilidad mostrándose indiferente a sus tentativas de seducción.

RELACIÓN
CON LOS OTROS SIGNOS

LIBRA – ARIES

Entre los nativos de signos opuestos, existe un cierto sentimiento de amor y odio que no deja lugar a las medias tintas, por lo que se detestan o se aman con locura. Acuario y Libra no constituyen una excepción a esta regla, y el contraste se acentúa con los planetas que rigen ambos signos: Venus para Libra y Marte para Aries, que expresan valores contradictorios, ya que el primero encarna el amor y, por extensión, la armonía, la unión, la comprensión y el acuerdo; por otro lado, el segundo simboliza la guerra y, en sentido más amplio, la competición, la agresividad, la brutalidad y el autoritarismo. Pero los dos astros también se complementan, son amantes en la mitología clásica y representan los valores femeninos y los masculinos que se funden en la unión amorosa. Se necesitarían, pues, decenas de páginas para debatir el simbolismo de estos dos signos pero, en resumen, basta con decir que Libra, dotado de *savoir faire*, conmueve al impetuoso Aries, fascinado por un estilo tan diferente al suyo y estimulado por una rápida conquista. A su vez, los Libra quedan impresionados por la cálida vitalidad de Aries, capaz de fundir su autocontrol y envolverlos en una insólita llamarada. Sin embargo, una vez superada la fase de los inicios del amor, las diferencias de carácter no tardarán en surgir; Libra es un signo de matices, mientras que no existe el término medio para Aries, que también prefiere dominar y vencer a toda costa, en contraste con su compañero, que tiende a la conciliación y al compromiso. Debido a su carácter conciliador, Libra tiene tendencia a seguir a Aries en sus transgresiones, al menos al principio, pero espera a cambio que su compañero asuma los honores y los deberes de su «toma de poder», y juzgará de forma severa los ocasionales errores.

Es además muy importante que los expeditivos Aries eviten desatender a Libra, que, ya sea hombre, ya mujer, es una criatura sensible y delicada; si no lo hace, se sentirá desgraciada y la relación se deteriorará irremediablemente.

LIBRA – TAURO

Se trata del encuentro entre dos Venus, la de la Tierra de Tauro y la del Aire de Libra: dos maneras muy diferentes de vivir la vida, de comprender el amor y de expresar los sentimientos. Ambos signos están guiados por Venus, que los incita a ser amables, gentiles, conciliadores y a atraer el placer hacia ellos; son adeptos a todo lo que resulta armo-

El amor para cada signo   **119**

nioso y bello, y comparten numerosos puntos en común, de los cuales pueden hablar en un intercambio cautivador, que constituye la premisa principal del amor. Pero, para que la relación dure, es necesario que intervengan componentes planetarios en otros signos, puesto que el riesgo de fracaso es bastante elevado entre estos dos ejemplares «puros». Tauro-Tauro es demasiado materialista y Libra-Libra resulta excesivamente distante para permitir que los dos nativos realmente se comprendan. Cuando el encuentro tiene lugar entre una mujer Libra y un hombre Tauro, él asumirá inmediatamente el papel de hombre vigoroso, realista y protector, pero sin connotaciones machistas, puesto que es uno de los pocos varones que sabe ser dulce sin perder su virilidad. Encarna la vertiente práctica de la pareja, mientras que Libra, mariposa aparentemente frágil, será la parte aérea, e incitará a su compañero a refinarse y alzar el vuelo por las altas esferas. Todo depende del éxito o del fracaso de este intento y, con el transcurso del tiempo, Libra podría hartarse de un hombre demasiado prosaico, que puede resultar aburrido. Por el contrario, si el amor surge entre una mujer Tauro y un hombre Libra, esta quedará seducida por la perfección del estilo de este refinado y galante cortesano que hace que ella se sienta la mujer más bella del mundo. Él comprenderá con rapidez que ha encontrado una valiosa compañera, tanto por su sensualidad como por sus ideas claras y concretas, y por el sólido pragmatismo con el que afronta la vida,

un comportamiento que le será de gran ayuda para superar su indecisión crónica.

Veamos ahora cómo se configura la pareja ganadora: una mujer Tauro, paciente pero firme, conduce a su compañero Libra, dócil y comprensivo, en la dirección deseada y le ayuda a relajarse, a descuidar la perfección de lo abstracto en beneficio de los placeres terrenales.

LIBRA – GÉMINIS
El Aire constituye el elemento común de estos dos signos algo frívolos pero enemigos del materialismo, suficientemente intelectuales como para comprenderse a primera vista con un diálogo constante sobre los temas más abstractos e improbables. Ambos son muy sociables y la relación con los demás les resulta tan valiosa como el oxígeno. No les faltan, pues, ocasiones de encontrarse, por medio de amigos comunes o en el transcurso de manifestaciones culturales y mundanas que ambos frecuentan asiduamente. Lo que les enamora es más el espíritu que las cualidades físicas: Libra aprecia mucho los bellos discursos de Géminis, y a este le encanta la graciosa desenvoltura de Libra. Entre ellos nace un amor aéreo, ligero y lúdico, donde quedan desterrados los excesos de la pasión: el poder está en manos de la imaginación, y la libertad de expresión y de movimiento conforma el nexo de esta relación siempre renovada, cautivadora, efervescente. Se trata de un amor ideal que debe vivirse cuando se es muy joven, pues puede

ayudar a ambos nativos a desarrollar armoniosamente sus respectivas personalidades y a adentrarse con confianza en el mundo de los adultos; atravesarán juntos esta etapa, ya que su acuerdo es tal que, mientras sean novios, es extraño que surjan problemas (a menos que uno de ellos, probablemente Géminis, descubra que tiene una vocación de infiel). Pero como ambos signos carecen de sentido práctico, el encuentro con la realidad puede tener efectos desconcertantes, puesto que, en el momento de dar el gran paso (a menos que ya esté dado), pueden perder su habitual desenvoltura y acabar discutiendo por el reparto de tareas y de espacios de libertad recortados por el cumplimiento de las mismas. Y la pérdida de la despreocupación, la más hermosa cualidad de esta relación, puede verse seriamente puesta a prueba. Llegado este punto, el rigor de Libra deberá intervenir racionalizando la falta de moderación de Géminis y estableciendo un reparto equitativo de derechos y deberes. Con estas dos personalidades tan ligeras y adaptables, no debería ser difícil esperar un compromiso equilibrado.

LIBRA – CÁNCER

He aquí un encuentro aparentemente prometedor pero difícil de llevar a la práctica. Bajo un aspecto frágil, estos dos signos cardinales están dotados de un fuerte carácter que emerge inexorablemente con el paso del tiempo y da lugar a múltiples contrastes; como ambos huyen del conflicto, la relación corre el riesgo de no fructificar. A primera vista, es innegable que se gustan: Cáncer, tímido e introvertido, tiene en público un comportamiento dulce y reservado que gusta a Libra, quien detesta a las personas ruidosas y turbulentas; alrededor de este existe un aire de serenidad que Cáncer vive como un bálsamo para su angustia, que siempre se encuentra al acecho. Cuando nace el amor, es hermoso como en los cuentos de hadas, y se produce un intercambio constante de atención y ternura romántica que los lleva al séptimo cielo. Y puesto que ambos acarician desde siempre el sueño de tener un alma gemela, pueden sentir la tentación de legalizar rápidamente su unión, aunque la vida en común revele facetas menos agradables de la relación. Libra (hombre o mujer) no tardará en descubrir que Cáncer es sensible y afectuoso pero también muy lunático, que tiene una desagradable tendencia a encerrarse en su caparazón para librarse de los deberes cotidianos, que le pide que le secunde en las pequeñas cosas, algo que siempre estará dispuesto a hacer, pero también que adivine sus más secretos estados de ánimo. Por su parte, Cáncer encuentra a Libra demasiado frío y distante, incapaz de transmitirle la intensidad de sentimientos y de sensaciones que le reconfortan en momentos difíciles y le complacen en los instantes de felicidad. Si Cáncer es un hombre, exigirá que su amada ejerza de madre, papel que Libra, aunque complaciente, no está dispuesta a desempeñar (la situación es aún peor si hay cerca una suegra entrometida que influye sobre él).

Así pues, en ausencia de factores astrales más favorables, esta pareja no tiene muchos visos de éxito.

LIBRA – LEO

He aquí una pareja feliz y triunfadora en todos los aspectos, incluso en su duración. Libra se deja seducir complacido por la esplendorosa apariencia, autoritaria y real, de Leo, quien, a su vez, queda favorablemente impresionado por las refinadas y elegantes maneras de Libra. Al hombre, igual que a la mujer, le gusta estar rodeado de una corte de admiradores, entre los cuales efectúa casi siempre una selección; con toda probabilidad, Leo dará el primer paso, y Libra se sentirá feliz de ceder ante la afectuosa gracia de la que hace gala. El Sol, astro regente de Leo, funde fácilmente el formalismo y las reservas de Libra, que carece un poco de espontaneidad y calidez; este último se adapta casi sin problemas a las pretensiones de Leo, y se ofrece inmediatamente como candidato a pareja ideal del generoso pero autoritario rey de la selva. El frágil Libra acepta bastante bien el carácter firme e imperioso de Leo, puesto que esto le evita tener que tomar decisiones penosas. Además, si Leo forma parte de las «mentalidades evolucionadas», no se aprovechará de estos estados de ánimo, sino que transmitirá a su «media naranja»

una mayor determinación, reforzada por el apoyo de un compañero protector y dispuesto a defenderlo. El acuerdo funcionará igual en el plano erótico pues, aunque apasionado, Leo no es ni brusco ni irrespetuoso y no desdeña un entorno refinado para los encuentros amorosos, un arte en el cual los Libra son auténticos maestros. Su relación no corre el peligro de convertirse en reiterativa y aburrida, pues ambos tienen una amplia gama de intereses: les gusta socializar y estar rodeados de amigos y, con esta forma de vida, abren muy a gusto su casa y son unos huéspedes impecables. Cuando la simbiosis es realmente perfecta, ambos protagonistas viven una relación de pareja muy bien arraigada e, incluso, con el nacimiento de los hijos, su amor seguirá siendo el aspecto más importante de toda su vida.

LIBRA – VIRGO

El entendimiento entre dos signos cercanos suele aprovechar la intervención de los planetas en uno u otro signo, que aumentan los puntos en común y, por tanto, las probabilidades de acuerdo. Una norma como esta sirve tanto para Libra como para Virgo, que tienen pocas cosas en común. Resulta muy difícil que nazca algo entre dos personalidades «puras»; el romanticismo aéreo de Libra ve rebajada su poesía ante el pragmatismo «terrenal» de su compañero, y su delicada susceptibilidad queda herida a menudo por el hiriente sentido crítico que caracteriza a todo Virgo que se precie. La complicidad de algunos astros conciliadores puede, sin embargo, lanzarlos en los brazos del otro después de miles de precauciones y dudas. El flechazo queda excluido y, más que enamorarse, ellos se «descubren» mutuamente. El hombre Libra, con sus modales perfectos y su falta de brusquedad, sabrá poco a poco ven-

cer la timidez de Virgo, incitándola a una progresiva rendición, sostenida por la confianza y el agradecimiento hacia un hombre tan educado y respetuoso; también el amor puede nacer lentamente, con serenidad, y, lógicamente, le seguirá el erotismo, con sencillez y sin ninguna de las inquietantes connotaciones que podrían trastornar el espíritu de Virgo. En caso contrario, los hechos se desarrollan de forma parecida: la mujer Libra se hace comprender discretamente por el hombre Virgo, que entonces puede ser algo más audaz, y la intimidad entre ambos se irá estrechando hasta que se encuentren

unidos de forma muy distinta a la simple amistad. Entonces, podría pensarse que lo más importante ya está hecho, que el amor está ahí y también la estima, y que no falta la buena voluntad para mantener el acuerdo. Así pues, los dos nativos se reafirman en un vínculo fluido y sereno, bien organizado y sin conflictos, casi ascético en su inmaculada perfección.

Pero la tranquilidad puede ser tan peligrosa como la tormenta, puesto que, una vez que se debilita el entusiasmo, la amable complicidad recíproca se transforma en un detestable formalismo que dura hasta que uno de los dos decide romper la relación.

LIBRA – LIBRA

Existen dos planetas que apadrinan este encuentro: el más conocido es Venus, astro del amor, del placer y de todo lo que es bueno y deseable; Saturno es menos conocido y, también situado en el signo, enfría los impulsos e inspira un rigor que, en algunos nativos, se transforma en severidad. A causa de este astro, la serena despreocupación de Libra se ve colmada de un perfeccionismo extremo que le hace ir en busca de la criatura ideal con la que recrear la armonía paradisiaca, que es la única con derecho a recibir el nombre de amor. Tanto este como la espontaneidad se encuentran algo ausentes en los refinados Libra, tan temerosos de que sus acciones molesten al vecino que incluso pueden llegar al inmovilismo; ahí reside el primer obstáculo que deben superar estos potenciales enamorados, demasiado discretos y educados para emitir cualquier reproche que pudiera parecer inoportuno. Cuando uno de los dos acumula la audacia necesaria para declararse, se inicia una relación extremadamente delicada, tan valiosa como una porcelana antigua, y desgraciadamente tan frágil como ella. La fusión de las almas es total desde el principio, cimentada por el amor común por la belleza y el arte, y juntos se extasían ante una pintura impresionista o una estatua clásica; sin embargo, son bastante más tímidos cuando se trata de ceder al éxtasis de los sentidos (a menos que intervengan componentes astrales de otros signos como Escorpio). No es que sean indiferentes al sexo, sino todo lo contrario, pero necesitan a alguien diferente de ellos que sepa incitarlos al abandono. La discreción, el deseo de gustar a su compañero y de preservar la armonía de la pareja puede paralizar a largo plazo la relación; además, la falta de combatividad los convierte en un poco vulnerables en situaciones de estrés y en las inevitables luchas con el mundo exterior. Si, además, son escasos los medios económicos que les permiten garantizar el confort y las cosas hermosas que tanto desean, se sienten deprimidos. Para que el final sea feliz, es necesario que uno sea más fuerte que el otro y tenga la valentía de tomar las riendas de la situación.

LIBRA – ESCORPIO
La experiencia amorosa con una Escorpio es de las que dejan huella,

aún más si el implicado es un amable nativo de Libra; como aborrece las situaciones extremas, se mantiene alejado de las atmósferas conflictivas y detesta todo aquello que se manifiesta de manera visceral. Necesita reflexionar antes de iniciar una relación de este estilo, y sus dudas deberán entonces ayudarle. Al contrario, si ya se siente atraído por la mirada magnética de Escorpio, tendrá que someterse, aunque sea a pesar suyo, a complicados juegos de seducción hasta la capitulación definitiva. Escorpio, hombre o mujer, abrirá a Libra las puertas de un universo desconocido y perturbador en el que dominan la pasión de los sentidos y los sentimientos impetuosos, violentos y contradictorios: nada puede estar más lejos de la armonía perfecta que puebla los sueños románticos de Libra. Si este último tiene valores astrales importantes en este signo, se sentirá finalmente a su gusto y mantendrá con Escorpio unos cautivadores duelos en los que desplegará armas secretas con las que no contaba; una vez desvanecida la embriaguez inicial engendrada por el néctar del amor, caerá en un abismo de emociones tan intensas que su equilibrio psíquico no podrá soportarlo y deseará huir de inmediato. Si Escorpio está suficientemente atento o enamorado para evitar que la situación se degenere, intentará refrenar sus instintos provocadores y no herir la dignidad de su compañero, incluso protegerlo del huracán emocional que él mismo habrá desencadenado. Pero para ello, tendrá que renunciar a una parte de su personalidad, quizá la más inquietante y destructiva. Libra deberá decir adiós a sus sueños de paz y de armonía si quiere permanecer con Escorpio y aceptar que tiene a su lado un compañero que le dará mucha guerra. Pero sucede que, por amor, se puede llegar a esto...

LIBRA – SAGITARIO

Si se hace caso de los clichés, la conclusión no es halagüeña: Libra

es demasiado formalista, esteta y controlado para poder siquiera imaginar vivir al lado del excesivo, ruidoso y desordenado Sagitario. Pero la experiencia enseña que es muy raro encontrar signos astrológicos «puros» y, también en este caso, ambos tienen poco que perder y en cambio mucho que ganar de su compañero. Es cierto que, al principio, Libra mira con indiferencia al exuberante Sagitario, que siempre va en busca de fantasiosas aventuras y al que contempla como una criatura altiva y bastante esnob. Para encontrarse, ambos deben superar sus prejuicios, rodeándose, si hiciera falta, de circunstancias favorables; a fin de cuentas, se trata de prejuicios más formales que sustanciales, que un conocimiento mutuo más profundo debería elimi-

nar rápidamente. La alegre espontaneidad de Sagitario no choca contra la frialdad inicial de Libra, sino que puede acabar con sus indecisiones, por lo que, con él, Libra se sentirá reconfortado, como frente a un placentero fuego en la chimenea que calienta el corazón, además de los miembros entumecidos. Descubrirá también que la sencilla camaradería de Sagitario no tiene connotaciones autoritarias y percibirá que, en el alma de este último, arde un profundo amor por la justicia que se parece mucho al suyo, aunque se exprese de un modo completamente diferente. Y Sagitario reconsiderará su juicio sobre Libra al descubrir que su formalismo nace de una necesidad de aprobación y de armonía, unos sentimientos en absoluto condenables; además podrá recibir útiles lecciones de diplomacia y de reflexión, que le servirán para progresar más rápido y mejorar su vida, y la del prójimo, porque el ámbito social es muy intenso en ambos nativos. En suma, con algo de flexibilidad, puede realizarse un intercambio positivo de energías, motor de una relación motivada y seria.

LIBRA – CAPRICORNIO

El serio, ambicioso y más bien taciturno Capricornio está regido por Saturno, exaltado por la proximidad de Libra: el encuentro entre estos dos signos se tiñe, pues, de austera sobriedad, inspirada por este planeta, que efectivamente no tiene nada de despreocupado. El deseo de poseer referencias estables impulsa a Libra a establecer una relación con Capricornio, signo de Tierra, dotado de una inquebrantable voluntad y de un realismo desencantado pero sólido, sensato y prudente; parece ser la persona capaz de resolver de una vez por todas las incertidumbres de Libra. Y el saturniano no es en absoluto insensible al gracioso encanto de Libra, que, con sus refinadas maneras, le promete pulir las asperezas de la vida y adaptarse a su característico autoritarismo. Entre dos signos tan controlados, no resulta imposible que surja una pasión intensa, atribuible a Capricornio, quien, bajo una apariencia glacial, oculta una autoritaria sensualidad capaz de conmover profundamente al templado Libra. No obstante, su relación no es en absoluto vehemente ni improvisada, y Capricornio, planificador nato, escoge inmediatamente la dirección estableciendo los derechos y deberes, los objetivos y el tiempo necesario para alcanzarlos. A Libra le corresponde un papel ornamental, más aún si se trata de una mujer, cuya misión consiste en aliviar a Capricornio del peso existencial que gravita sobre sus hombros, hundidos bajo las responsabilidades. ¿Simplista? Probablemente, pero es necesario saber que Capricornio, especialmente si es un hombre, siempre se orienta hacia el ascenso y el poder, e incluso en los niveles más modestos su carrera encabeza su escala de valores. Libra tiene una mentalidad muy diferente: sitúa el amor en primer lugar e inevitablemente se ve muy decepcionada por semejante comportamiento. No resulta fácil hablar de este tema con el interesado, introvertido y arisco Capricornio, sobre todo porque se trata de sentimientos que prefiere guardar en su interior como un tesoro. Tarde o temprano, Libra se marchará en busca de la ternura y las satisfacciones con las que Capricornio se muestra tan avaro.

LIBRA – ACUARIO

Desde el momento en que entra en escena Acuario, uno de los signos más eclécticos e informales, la relación no puede sino salirse de lo común. El Aire, elemento al que pertenecen ambos signos, da lugar a un acuerdo evanescente basado en las afinidades electivas: se trata de una unión más espiritual que carnal, en la que el sexo, aunque importante, es una consecuencia de la armonía de las almas, verdadero epicentro de la pareja. Cuando se encuentra con un Acuario, Libra queda fascinado por el halo de genio que lo rodea y lo sitúa por encima de los «simples mortales»: cuenta con unas cualidades que poseen el raro poder de entusiasmarlo y de disparar el mágico resorte del amor. Una vez eliminados los excesos apasionados y sentimentales, ambos nativos sientan las bases de la relación sobre la enseña de una armonía espiritual equilibrada, viva y llena de estímulos en el plano intelectual; ambos comparten un buen número de intereses culturales, les encanta la vida social, y mantienen una amplia red de amistades y relaciones. No obstante, es necesario señalar que Libra sitúa la relación de pareja en primer lugar y gasta todas sus energías en responder a las expectativas de su compañero, mientras que Acuario, de ideas mucho menos convencionales, se muestra más remiso a colocar a la pareja en el centro de su existencia, incluso cuando la ama sinceramente. Esta diferencia sustancial de puntos de

vista supone una fuente de conflictos, porque Libra puede sentirse desatendido, poco querido, volverse celoso y criticar a su pareja de manera glacial. Por su parte, Acuario verá en estas manifestaciones de malestar una amenaza a su propia libertad, el daño más horrible que se le pueda infligir. Este parece ser el mayor escollo de una relación que, por otra parte, es prometedora, y puede darse el caso de que Acuario, para reafirmar su propia independencia, se conceda algunas escapadas que considera inocentes y que, a su vez, Libra

busque un compañero más dispuesto a secundarlo. Por suerte, esto se produce muy raramente, porque ambos son bastante comprensivos y poseen un espíritu de adaptación que les permite volver a encontrarse.

LIBRA – PISCIS

Se trata de una relación que eclosiona bajo los sugerentes auspicios del romanticismo pero que, muy a menudo, se atasca en las áridas arenas de la incomprensión. El hipnótico encanto de Piscis impresiona mucho a Libra, dejándole entrever los horizontes de un amor eterno e infinito. Además, Piscis está muy dotado para dosificar su apasionada excitación (que, expresada de manera demasiado explícita, podría causar una mala impresión a Libra) y para envolverla en un halo mágico que consiga hacer caer a Libra en sus redes. Al principio, todo parece ir perfectamente: ambos nativos comparten el amor por el arte, por la música, además del gusto de abandonarse a gratas sensaciones, como la voluptuosidad de la pereza. Presos de un lánguido entusiasmo, se convencen rápidamente de haber encontrado un alma gemela y, llevados por el entusiasmo, pueden decidir el inicio de una vida en común. Libra toma esta decisión muy en serio, puesto que el amor se encuentra en el centro de su existencia; no obstante, es una lástima que Piscis no comparta los mismos objetivos inquebrantables, no porque esté menos enamorado o poco convencido, sino porque tanto para la mujer como para el hombre Piscis nada es ni inmutable ni definitivo en la inmensidad de lo imponderable. Pero, incluso si esta gran diferencia en el modo de ver las cosas no aflora inmediatamente, no faltan otros motivos de fricción, como el desorden crónico de Piscis, una auténtica astilla clavada en el flanco del impecable Libra, a quien esto le da tanto miedo que acaba viendo reflejado en él el desorden existencial en el que considera que Piscis nada tranquilamente. Por su parte, este acusará a Libra de ser incapaz de entregarse completamente, de no saber abandonarse al flujo de la vida, como si tuviera miedo de «ensuciarse».

Libra realizará continuos reproches a Piscis su falta de claridad, que parece hecha ex profeso para evitar problemas y permitir una escapatoria... Para que la unión funcione, es indispensable la presencia de algunos planetas en signos más compatibles.

Sol en Libra – Luna en Aries

El autocontrol característico de este signo está roto por esta Luna impulsiva: la personalidad es activa y dinámica, y se exalta con facilidad. Existe, no obstante, un contraste entre el profundo deseo de armonía y tranquilidad, y las ardientes emociones que suelen desencadenar el conflicto y la rivalidad. En el terreno afectivo, aunque existe una tendencia hacia el flechazo desbordante de pasión, y a pesar de las expectativas, el entusiasmo puede extinguirse tan rápidamente como ha nacido. Él tiende a dejarse dominar por una mujer fuerte y apasionada. Ella, en cambio, intenta imponerse para ocupar el primer puesto en la relación.

Sol en Libra – Luna en Tauro

El Sol y la Luna en los signos de Venus denotan un carácter fundamentado en la armonía y la búsqueda del placer. Perezosos, sensuales, expansivos con moderación y muy atractivos, estos individuos viven menos en la abstracción y más en lo concreto que el signo estándar. Están dotados de una gran alegría de vivir y saben transmitir a sus allegados una sensación de serenidad intentando sustraerse a las situaciones conflictivas. Ella, muy seductora, sabe ser una referencia valiosa para su compañero. Él busca una mujer afectuosa e interiormente sólida.

Sol en Libra – Luna en Géminis

En esta combinación, la extroversión, la sociabilidad y las ganas de contacto humano están muy acentuadas. El carácter es desenvuelto, ecléctico, un poco superficial pero muy fascinante y acompañado de grandes capacidades intelectuales; además, la facultad de adaptación le permite deslizarse con facilidad en cualquier entorno. Desde el punto de vista afectivo, estas personas tienden al desapego, al juego amoroso y, tanto él como ella, indecisos sobre sus propios sentimientos, pueden dudar durante mucho tiempo antes de comprometerse seriamente. Vanidosos y curiosos, son también bastante infieles.

Sol en Libra – Luna en Cáncer

Son personas con un temperamento delicado y sensible, susceptibles, y a las que causa horror la adversidad, con una tendencia a eludir pasivamente sus responsabilidades. Su vida emotiva es rica, su sentido artístico notable y su imaginación desbordada; a menudo la prefieren a la realidad, y es así como se sumergen en un sueño romántico, especialmente en el amor. Frágil y receptiva, ella tiene tendencia a adaptarse a su pareja, a complacerle de mil maneras y, a cambio, pide protección ilimitada. Para él, su compañera, a la vez madre y hada, representa el refugio ideal de todas las asperezas de la vida.

Sol en Libra – Luna en Leo

En esta combinación, la vitalidad y el refinamiento dan lugar a una personalidad expansiva, atractiva y orgullosa, a la que le gusta ser halagada y admirada. El carácter se reafirma y es capaz de imponerse; la prudencia se debilita a causa de un calor que acrecienta las cualidades de seducción y la intensidad de los sentimientos. Vanidosa y no desprovista de ambición, ella busca dominar a la pareja comportándose de forma educada pero inflexible. Él, sensible a las apariencias, busca una mujer que esté a la altura de su éxito.

Sol en Libra – Luna en Virgo

Se trata de individuos tranquilos y observadores, que se adaptan fácilmente, pero que están dotados de una clara facultad de juicio. En ellos existe una gran necesidad de orden moral y material, y de encontrar un camino bien marcado que seguir. Tienden a sopesar y calcular cada cosa, tanto en sus elecciones prácticas como en las afectivas. Su sentido pragmático los conduce a tomar decisiones sensatas pero algo asépticas, privadas de espontaneidad. Ella tiene dificultades para expresar su propia feminidad, sometida al fuego de la crítica. Él intenta conciliar lo útil y lo agradable.

Sol y Luna en Libra

Se trata de personas extremadamente educadas y agradables, que tienen una gran necesidad de contacto con los demás y un intenso deseo de amor. Su sentido artístico es notable, así como el gusto por lo bello. Su rechazo a la vulgaridad, así como a las dificultades y a las responsabilidades, es muy fuerte. Están dotados de un encanto y unos modales de una suavidad particular, y la mujer, especialmente, domina el arte de la seducción y es capaz de identificarse profundamente con el ser amado. Él consigue encantado numerosas conquistas pero desea tener una compañera auténticamente refinada.

Sol en Libra – Luna en Escorpio

El característico temperamento diplomático del signo se tiñe de agresividad y da como resultado personas muy seguras, tanto de sí mismas como a la hora de expresar sus opiniones, y en las que el amor a la verdad y a la justicia puede desencadenar a veces comportamientos demasiado sinceros. Muy independientes, saben utilizar su encanto para manipular a los demás. En ellos, la intuición y el gusto por el descubrimiento son muy intensos, y está muy viva la efervescencia sentimental y espiritual. Él, más celoso que el signo estándar, se ve atraído por una mujer turbadora. Ella, extremadamente fascinante, oculta algunas armas que podrían revelarse como peligrosas.

Sol en Libra – Luna en Sagitario

Se trata de una combinación armoniosa que produce personalidades simpáticas, extrovertidas, cordiales y desenvueltas, y por esta razón, muy apreciadas por todos. Su capacidad para persuadir e implicar a otros en sus ideales es notable y son personas que inspiran una confianza que jamás traicionan. Alimentan aspiraciones elevadas en el terreno moral y dan muestra de una gran prodigalidad en lo material. Él desea una mujer dinámica y generosa, de sentimientos nobles. Ella aspira a un hombre que aprecie sus ideas y no limite su libertad.

Sol en Libra – Luna en Capricornio

La Luna modera la efusividad y potencia el autodominio. El resultado es un carácter rígido, severo y reservado, preocupado por no disgustar a nadie y totalmente privado de espontaneidad. El rechazo a la emotividad y la búsqueda de lo esencial están muy acentuados, incluso en el amor, y las elecciones afectivas se ven sometidas a una sabia prudencia. Ella precisa un compañero que no intente imponerse y que sea capaz de comprender su inexpresada necesidad de amor. Él busca a una mujer fiable con un carácter austero y fuerte.

Sol en Libra – Luna en Acuario

Son personas abiertas y desenvueltas a quienes les gusta mucho la vida social. Intelectualmente bien dotadas, aspiran a encontrar compañeros que estimulen su curiosidad para vivir constantemente nuevas experiencias. No tienen ningún sentido práctico y tienden a vivir un poco fuera de la realidad, que juzgan prosaica y «mala». Son unos amigos excelentes que, en el amor, procuran sobre todo lograr la afinidad espiritual, y buscan compañeros comprensivos que no coarten su libertad y no les aburran nunca.

Sol en Libra – Luna en Piscis

Tienen un temperamento dulce, poco dinámico, muy sensible, romántico y soñador. La incertidumbre crónica oculta un gran deseo de amor y de protección, pero también poseen una capacidad de comprensión y disponibilidad para ayudar a los demás. Son personas que saben hacerse querer y que encuentran fácilmente un apoyo. Ella, llevada por el entusiasmo amoroso, es algo vulnerable y necesita un compañero fuerte que la estimule. Él se siente atraído por una mujer del tipo sirena, evanescente y sensual.

ESCORPIO Y EL AMOR

Características de Escorpio

Periodo: del 23 de octubre al 22 de noviembre
Elemento: Agua
Cualidad: fijo, femenino
Planeta: Marte y Plutón
Longitud zodiacal: de 210° a 240°
Casa zodiacal: octava
Color: rojo oscuro, negro
Día: martes
Piedra: amatista
Metal: hierro
Flor: clavel rojo
Planta: pino y abeto
Perfume: sándalo

ELLA

Es necesario advertir que se trata de una mujer complicada. Lejos de ser superficial, vive cada acontecimiento, cada emoción, de manera visceral, pero en vez de dejarse asfixiar, intenta comprender las razones secretas, hurgando incesantemente en las profundidades de su propia psique y en la de los demás. Dotada de una intuición casi diabólica, sabe leer en el alma del prójimo y utiliza esta facultad en beneficio propio, especialmente en el terreno amoroso. Parece aureolada de misterio, e incluso la más calurosa de sus sonrisas no es nunca franca y oculta un secreto; de hecho, en el espíritu de esta mujer, intensa y combativa, bulle una inquietud que impregna profundamente su vida sentimental. Esto resulta difícil congeniar con sus virtudes y, exceptuando algunas historias que preferiría olvidar, la mujer Escorpio no se enamora nunca por azar. Detesta las personalidades insulsas, banales o demasiado superficiales, y busca un hombre que le aporte algo más, que le dé la impresión de que la historia vale realmente la pena. Cuando ama, aporta toda su energía a la relación y se entrega sin demora esperando lo mismo por parte de su pareja. Con ella, el amor adquiere unos tintes fuertes y sólo un hombre bien motivado y con unos nervios muy sólidos puede soportar las escenas dramáticas, los accesos de celos y las crisis destructivas que es capaz de desencadenar esta mujer. Muy suspicaz, desea poseer a su compañero de la cabeza a los pies y, si este no tiene una personalidad suficientemente fuerte, corre el riesgo de ser aniquilado. El sexo sintetiza simbólicamente su naturaleza; es el territorio oscuro y mágico donde se encuentran la vida y la muerte.

ÉL

Instintivo, tenebroso y rebelde, el hombre Escorpio no se muestra jamás por completo, pues no se fía de los demás, sobre todo cuando cree que no dan la talla. Tiene un carácter complicado y atormentado, se siente atraído por las situaciones extremas y, a menudo, es destructor con una auténtica vocación por la contradicción y la provocación. Le gusta hacer lo contrario de lo que se espera de él. Llega a ser amable y atractivo, pero su naturaleza profunda es bastante diferente, porque cada experiencia representa para él un desafío, y cada encuentro, un enfrentamiento, incluso en el amor. Está dotado de un penetrante sexto sentido y de un intenso magnetismo, y sabe captar las más mínimas seña-

les enviadas por sus pretendientes, a los que atrae inexorablemente a sus redes. El sexo supone un elemento esencial de su vida, y sus aventuras no son más que un medio para desahogar su intensa potencia erótica; cuando se enamora, somete a la mujer amada a una iniciación agotadora y, una vez conquistada, ella se ve puesta a prueba de manera despiadada. Esto también supone para él un gran sufrimiento, pero no puede arriesgarse a ver cómo tira la toalla y debe asegurarse de que ella está lo bastante enamorada y que es inteligente y valiente, además de estar dispuesta a abandonarlo todo para vivir con él una aventura única e inolvidable. Se trata, pues, de un hombre cuyas exigencias no son fáciles. ¿Y la fidelidad? Tan posesivo como lo es la mujer del mismo signo, su código moral, muy flexible, puede inducirlo a un comportamiento contradictorio. El gusto por la transgresión y la atracción por el misterio pueden suscitar igualmente traiciones secretas o «experiencias fantasiosas».

CORAZÓN, UNIÓN, RUPTURA

Un cortejo tradicional no conviene a los Escorpio, amantes de lo insólito. Se sienten atraídos por personas que saben crear un halo de misterio a su alrededor y que son capaces de proponer cosas diferentes a los demás. Es mejor no hablar demasiado con ellos, pues un silencio cargado de sobrentendidos los excita mucho; es necesario, pues, avivar su curiosidad dando la impresión de que existe un secreto por descubrir. Se dará cuenta de que se ha convertido en objetivo de Escorpio por las miradas magnéticas que le lanzará, aparentemente anodinas, con las que conseguirá quedarse a solas con usted y transmitirle de cerca la corriente erótica que emana de él, de manera que pierda toda reserva. Pero no le deje creer que ha caído a sus pies, pues se aprovechará inmediatamente. Si es una persona complicada, tanto mejor, ya que para él (o para ella), poder medirse con un compañero idéntico supone un desafío apasionante que le permite dar lo mejor de sí mismo. Pero no hay que olvidar nunca que la relación con un Escorpio no tiene nada de reconfortante ni tranquila, y que si usted es despreocupado, superficial o simplemente algo perezoso, no se trata de la persona que más le conviene. Una vez llegado el amor, se iniciará una relación intensa y completa, y las contradicciones que vive Escorpio (un signo que simboliza la muerte y el renacimiento) se convertirán también en las suyas. Con este signo, hay que estar dispuesto a todo, puesto que puede solicitar cosas muy extrañas, pero no es cierto que sea mejor decir siempre que sí, ya que a veces prefiere un rechazo razonado, no por miedo o conformismo, sino por la voluntad de decir no y de hacerse respetar. Los Escorpio detestan la previsión y la rutina y, cuando todo se desarrolla demasiado bien, se sienten casi con la obligación de romper la armonía: las disputas, incluso violentas, están a la orden del día; además, se trata de un auténtico especialista en dramas de amor

y celos. Es cierto que, con el paso del tiempo, estos extremistas tienden a tranquilizarse un poco y, si Escorpio se siente seguro de que la persona amada está a la altura de la situación, no caerá en la tentación de ponerla a prueba. No hay que olvidar, sin embargo, que la tendencia al negativismo, el gusto por las complicacio-

nes y las pulsiones destructivas están ancladas en su temperamento y que, aunque apaciguado por un compañero que es su cómplice en todo, la tentación de utilizar su aguijón es difícil de resistir.

¿Qué hacer cuando no se puede aguantar más la virulencia de las exigencias de un Escorpio? Si le conoce de hace poco, será suficiente con mostrarse superficial, frívolo, hacer tonterías o melindres, o ser galante con otra persona para conseguir alejarlo. Si, por el contrario, le conoce bien, la sinceridad es la mejor táctica, puesto que quizás herirá su orgullo y le molestará, pero a la vez apreciará su valor y su franqueza.

RELACIÓN
CON LOS OTROS SIGNOS

ESCORPIO – ARIES

Simbólicamente, la pertenencia estacional de estos dos signos es muy diferente y ofrece informaciones útiles sobre el futuro desarrollo de esta relación. Escorpio es un signo de otoño, de una vida que está aparentemente dormida y actúa de forma subterránea. Aries corresponde al ardor primaveral y a la eclosión impetuosa de la vida. Ambos tienen, pues, una manera radicalmente opuesta de afrontar la vida. Para Aries, todo es sencillo, espontáneo y claro; la lucha por la supremacía lo ocupa totalmente, pero su agresividad, aunque fuerte, se debilita rápidamente. Para Escorpio, todo es oscuro, complicado y misterioso; lucha contra las tinieblas de la ignorancia, extrañamente ataca en primer lugar, pero es muy reivindicativo y da la estocada definitiva cuando el enemigo está debilitado. ¿Pero no estamos hablando del amor? Efectivamente pero, al tratarse de dos signos regidos por el planeta Marte, las metáforas bélicas se adaptan mejor para comprender el mecanismo psicológico que dirige el comportamiento amoroso. Aries avanza sin miramientos y Escorpio, a quien divierten estas audacias, puede decirle que sí, consciente, en el fondo de su ser, de que es el más fuerte. Las turbias aguas de Escorpio llegan a empañar el alegre impulso de Aries y a enfriar su caluroso entusiasmo, por lo que este empezará a sentirse incómodo. Incluso en el caso de un enfrentamiento directo, Aries no puede ganar si debe enfrentarse a las astutas estrategias de Escorpio. Si, a pesar de todo, no abandona, una relación estable haría surgir indudablemente las divergencias de carácter. A Escorpio, profundamente inquieto, le gusta el silencio y las conversaciones con trasfondo existencial, mientras que Aries vive sobreexcitado, sobre todo físicamente; le gusta el sonido de la vida, la luz del sol, y es a la vez demasiado susceptible y subjetivo en las discusiones. Una intensa sexualidad puede unirlos durante un tiempo, pero también en este aspecto los gustos y las expectativas son demasiado distintas. Las pocas parejas que funcionan bien se lo deben a la intervención providencial de otros elementos astrales.

ESCORPIO – TAURO

Como en todas las parejas de signos opuestos, son las diferencias las que crean la atracción, abriendo la puerta a peligrosos contrastes, susceptibles de hipotecar el éxito de la relación. En esta pareja, Eros es el detonante del incendio amoroso, cuyos padrinos son Venus y Marte, los mitológicos amantes que rigen respectivamente Tauro y Escorpio. La mujer Escorpio se muestra muy hábil para avivar los apetitos carnales de Tauro, que, hechizado, pierde cualquier clase de prudencia; el hombre Escorpio emplea tanta astucia para seducir a la sensual Tauro que, una vez bajo su encanto, se arriesga a perder su serenidad. En ambos casos, Escorpio introduce a Tauro en un mundo complejo y oscuro, en el que es necesario luchar para sobrevivir: todo lo contrario del universo alegre, sencillo y pacífico de Tauro. Pero el magnético poder de Escorpio es cautivador, y el vínculo sexual que se crea realmente tiene una gran fuerza, que lleva a ambos a experimentar emociones jamás vividas antes, en una especie de fusión entre infierno y paraíso. Se trata de una relación totalitaria y exclusiva, donde nada ni nadie puede intervenir, puesto que, muy celosos de su intimidad (especialmente los Escorpio), ambos nativos se interesan poco por el resto del mundo. Locamente posesivos, están sujetos a crisis de celos que pueden desencadenarse a la mínima sospecha, y las escenas y las discusiones, a veces violentas, no son extrañas en esta pareja. Si el problema se enquista, el peligroso ciclo de provocaciones y golpes bajos amenaza con instalarse, y los dos nativos expresarán su malestar por no poder poseer totalmente al ser amado a causa de sus diferencias. No obstante, incluso en este caso, estos modelos de obstinación raramente sueltan la presa y

se corre el riesgo de mantener esta situación a perpetuidad.

Los signos astrológicamente «puros» —por suerte— se encuentran muy pocas veces, y una adecuada corrección planetaria puede hacer milagros debilitando el riesgo de turbulencias.

ESCORPIO – GÉMINIS
La unión que nace del encuentro de un Escorpio y un Géminis es realmente insólita y existen grandes dudas sobre sus posibilidades de éxito. No hay prácticamente ningún elemento susceptible de atraerlos, puesto que llevan una vida muy diferente y sus objetivos son distintos. Efectivamente, Escorpio está plenamente comprometido en el drama existencial y Géminis se centra en la despreocupación y el juego humorístico. Lo que puede impulsarlos a iniciar una relación es la dificultad que tienen ambos para encontrar a alguien que les guste; Géminis prueba con todos los signos, pero tarde o temprano se cansa de sus compañeros, a los que puede encontrar aburridos o banales; Escorpio tiene numerosas aventuras eróticas, pero es extraño que descubra a alguien a quien considere realmente digno de interés. Al coincidir con Géminis, Escorpio no puede creer que por fin haya encontrado a alguien lo bastante inteligente, espiritual, irreverente y escurridizo como para proporcionarle el placer de conquistarlo. Por su parte, el curioso Géminis encuentra intrigante el juego amoroso propuesto por el tenebroso Escorpio, ya que le

deja entrever numerosas sorpresas ocultas. En efecto, la relación pasa a ser muy estimulante y ambos juegan a sorprenderse mutuamente y se divierten mucho a expensas de los que son menos astutos que ellos. Para Géminis, todo es una farsa, y no comprende que Escorpio no se divierta y que, cuando se enamora, quiera tener la exclusividad de su pareja y no tolere el más mínimo signo de inconstancia, montando en cólera si su compañero cede a la vanidad y se deja llevar por un cierto exhibicionismo. Finalmente, es Géminis quien se encuentra en una

situación difícil, puesto que su personalidad es mucho más frágil que la de Escorpio, que, aunque atormentado, tiene valor y sangre fría para dar y tomar; para él (o para ella) es muy difícil convivir con un compañero tan complicado que no se deja embaucar con una sonrisa. Se necesita mucho amor para que estos dos nativos puedan soportarse durante mucho tiempo.

ESCORPIO – CÁNCER

Existe una corriente de comprensión instintiva entre los signos que pertenecen al mismo elemento, en este caso el Agua, y sus raíces son casi idénticas, a pesar de que sus respectivos caracteres pueden ser muy diferentes. La pareja Cáncer-Escorpio constituye un buen ejemplo de ello. Cáncer, lunar y soñador, parece la quintaesencia de la fragilidad y, por miedo a exponerse a los golpes de otros, se encierra en su caparazón. Escorpio, marciano y plutoniano, sabe ser agresivo y astuto, y utiliza su aguijón cuando su adversario menos se lo espera. ¿Dónde está pues el punto de encuentro? Guiados por una intuición mágica, ambos son capaces de leerse el pensamiento y de descubrir los secretos más recónditos que están en el origen de sus miedos y excitaciones, de sus acciones y sus reacciones; entre ellos, no hay ninguna necesidad de palabras, puesto que se «sienten» más que se comprenden, y consiguen establecer un vínculo visceral, apasionado y consecuente. La mujer Cáncer parece pasiva frente al astuto Escorpio pero, armada de dulzura, consigue atenuar sus tentaciones destructivas y su vocación secreta es consagrarse a un hombre que la controle por completo; por su parte, Escorpio no pretende otra cosa que tiranizar, incluso amorosamente, a una mujer 100 % femenina, pero con una notable vida interior. La mujer Escorpio sabe sortear hábilmente las defensas del hombre Cáncer y apoderarse no sólo de su corazón, sino también de su imaginario, que se encuentra unido demasiado a menudo a la imagen maternal. Escorpio se impone como dueña exclusiva de su corazón y genera una dependencia ante la que no sabe rebelarse. No hay ninguna duda de que donde se encuentra un Escorpio las cosas no son tan serenas y bucólicas como se desearía, pero esta pareja es, a pesar de todo, una de las más prometedoras, profundamente unida no solamente por un amor auténtico, sino por un notable erotismo que recompensa a Cáncer de las probables heridas infligidas por la crueldad de Escorpio.

ESCORPIO – LEO

Es muy difícil el acuerdo entre estos signos fijos (y por ello testarudos) pertenecientes a «reinos» diferentes, y en consecuencia incompatibles. La fulgurante luz del Sol conviene a Leo, puesto que ilumina las cosas y ahuyenta las dudas y los miedos, además de infundir confianza; por el contrario, a Escorpio le gustan las zonas sombrías, los rincones oscuros e inexplorados que suscitan el miedo y la ansiedad, incluso en los espíritus más valientes. La diferencia de estilos y de objetivos puede ser el desencadenante de un interés recíproco, y los Leo se ven estimulados por la conquista de personalidades misteriosas que se muestran indiferentes; los Escorpio no son insensibles al deslumbrante encanto de los Leo (que irradian a pesar de que pueda hacerlos caer del pedestal). De esta forma, el desafío queda lanzado y se inicia una relación fuerte, cautivadora al principio, pero que corre el riesgo de agotar a los dos protagonistas con el paso del tiempo. Ambos están dotados de un carácter fuerte y dominante, cuyo objetivo es sin duda tomar el poder y entablar un pulso que no les llevará a ninguna parte. Actuando como un contrapoder, Escorpio se divierte mortificando a Leo, burlándose de su seguridad con comentarios sarcásticos, aprovechándose de su ingenua presunción para incomodarlo tanto como sea posible, y dándole así a entender que a él no le importa nada su autoridad real.

Leo vocifera y amenaza, aunque también sea capaz de asestar crueles zarpazos; está impaciente por concederse un merecido descanso pero, en cuanto relaja su atención, corre el riesgo de que Escorpio le arrebate definitivamente su adorado cetro. Incluso el sexo, que ocupa un lugar importante en esta relación, tiende a convertirse en motivo de enfrentamiento, de venganza y de rechazo mutuo. A menos que intervengan a tiempo algunas correcciones astrales en otros signos que aporten tolerancia a estos personajes, se puede descartar que una relación de este tipo dure demasiado tiempo.

ESCORPIO – VIRGO

A primera vista, se diría que estos personajes tienen muy poco que compartir: los Virgo, tan ordenados, reservados y a menudo víctimas de inhibiciones, y los Escorpio, tan extremistas, rebeldes y a quienes les gusta tanto transgredir las normas. Si un inhibido Virgo se encuentra con un Escorpio, es difícil que surja entre ellos el más mínimo interés; y, en caso de que esto sucediera, sería fruto del azar y este último pronto asustaría a Virgo, que pondría pies en polvorosa. Pero si Virgo, como sucede a menudo, tiene el secreto deseo de sobrepasar sus límites, Escorpio puede parecerle un «iniciador espiritual» y, como en cualquier proceso de este tipo, esto no sería un proceso indoloro, sino que entrañaría numerosas perturbaciones. No resulta raro que Escorpio, con la intuición que le caracteriza, perciba estos estremecimientos ocultos en Virgo y desee levantar el velo de pudor y timidez que lo envuelve. Llegado este punto, Virgo será víctima de un auténtico terremoto, empezando por los sentidos, trastornados por el encanto de Escorpio, y después por el espíritu, seducido de manera irresistible por esta inteligencia penetrante, una cualidad que Virgo aprecia por encima de todas. Empieza así una relación muy absorbente, especialmente para este último, que debe aprender a la vez a aguantar el choque que le supone ver sus más inconfesables instintos puestos al descubierto de forma despiadada por Escorpio, y a apaciguar las pulsiones provocadoras de un compañero que no soporta las normas, sean las que sean, y adopta siempre una opinión opuesta a la suya. Todo depende de si puede o no mantener su sangre fría; si consigue no dejarse llevar y confía en la «agudeza» de su espíritu, podrá no sólo hacerse apreciar cada día un poco

más, sino también poner algo de orden en la atormentada alma de su compañero y ganarse de esta manera su apasionado reconocimiento y algunos momentos de paz bien merecidos.

ESCORPIO – LIBRA
Los que nacen bajo estos dos signos tan cercanos suelen beneficiarse de un «contagio astral» que, sin duda, facilita mucho las relaciones. El amor entre estos dos signos «puros» es casi imposible o, si nace, no irá más allá de un flirteo; no obstante, la historia puede resultar muy diferente e influir en la duración de la misma. Sea como sea, para poder construir un vínculo válido, ambos deberán implicarse en profundidad intentando descartar los puntos conflictivos de su temperamento: Libra debe esforzarse en abandonar el formalismo y las apariencias y sustituir las puerilidades por temas más profundos; Escorpio ha de suavizar su aguijón, expresándose de manera menos agresiva y buscando más los puntos de acuerdo que el enfrentamiento sistemático. De este modo, ambos tienen mucho que ganar. Escorpio podrá beneficiarse de la calma a veces glacial de Libra y de la serenidad de su desapego emotivo, que le permite realizar juicios desapasionados y objetivos, cualidades de las que es consciente que carece y a que siempre está preso de suspicacias, de razonamientos problemáticos y de atormentadas angustias. Libra tendrá la ocasión de apreciar la franca firmeza de Escorpio y el

valor que emplea a la hora de traspasar las convenciones en su conquista incesante de la verdad; aprenderá también a ser más valeroso, a lanzarse a nuevos descubrimientos, sin contentarse con soluciones superficiales únicamente porque desea una vida tranquila. Libra no encontrará grandes dificultades para aceptar la supremacía de Escorpio, puesto que su naturaleza le empuja a la adaptación, a complacer a los demás y especialmente a la persona que ama, pero esta última no debe aprovecharse de ello, porque su compañero necesita ternura, o por lo menos tranqui-

lidad, y no resiste mucho tiempo en un clima de lucha y provocación: se ahoga, se apaga, le sobreviene la tristeza y se hunde, antes de reunir sus últimas fuerzas para huir, desesperado... a los brazos de cualquier otra persona.

ESCORPIO – ESCORPIO

La unión de dos personas que comparten el signo más inquietante del zodiaco constituye una eventualidad muy turbadora. Sin embargo, puede dar buenos resultados, a pesar de lo que piensen los más ortodoxos, que temen la fuerza del rebelde e indisciplinado Escorpio: a veces es necesario morir para renacer, y esta es la clave secreta de esta relación que, cuando funciona, conduce a una simbiosis realmente fuera de lo común. Sin duda se trata de una unión intensa, que no concede reposo a ambos nativos, por lo menos hasta que está bien consolidada. El periodo del flechazo, generalmente caracterizado por una mágica euforia, es probablemente el que presenta más tintes dramáticos, pues cada vibración positiva puede aportar un auténtico éxtasis y cada emoción negativa puede parecer una terrible tragedia. Las discusiones son innumerables pero, durante este tiempo, ambos se descubren, desvelando los recovecos más misteriosos del cuerpo y del espíritu; una tarea enervante y no desprovista de amenazas que afrontan bien con su habitual gusto por el riesgo.

Si todo va bien, es decir, si ambos aguantan la intensidad del fuerte enfrentamiento y ninguno de los dos (eventualmente debilitado por otros elementos astrales) tira demasiado pronto la toalla, saldrán profundamente regenerados de esta experiencia.

Cuando se hayan enfrentado juntos a los tabúes y superado las barreras convencionales que sumen a las otras parejas en la trivialidad, ellos podrán decir que se conocen realmente, que se han convertido en aliados y en cómplices íntimos además de en amantes, y que pueden otorgarse una confianza mutua. Menos atormentados por la pasión y los celos, podrán expresar su lado más positivo, y utilizar su inteligencia no para herir o ponerse a prueba, sino para emprender juntos estimulantes búsquedas intelectuales o existenciales; un Escorpio cultivado puede transformarse en águila, y una pareja de estas aves siempre es digna de admiración. Existen también nativos menos abiertos que, si resisten juntos, se verán irremediablemente atrapados en una telaraña de sexo y poder (y a veces de violencia), un laberinto tan denso que los conducirá hacia un túnel sin salida.

cómodo y se encuentra finalmente prisionero en un laberinto sin salida. ¿Es quizás esta una visión demasiado dramática? Pero Sagitario es un orgulloso idealista que cree que siempre puede deshacer los entuertos y conseguir que triunfe la virtud; le falta la astucia de Escorpio y cede abiertamente, con demasiado entusiasmo, sin guardar «armas secretas», ni siquiera en el amor. Pero, cuando uno trata con un Escorpio, esto significa ser candidato al papel de víctima: si todo va bien, el interés de este por un compañero demasiado luminoso se debilita muy

ESCORPIO – SAGITARIO

Existen serias dudas sobre el posible éxito de una unión entre el tenebroso Escorpio y el cándido Sagitario. Tratándose de signos cercanos, es posible que uno tenga planetas en el otro, lo que facilita sin ninguna duda la comprensión; pero si se trata de nativos «puros» o casi, es preferible que Sagitario guarde las distancias, puesto que su fantástica aventura corre el riesgo de convertirse en una pesadilla. Suele pecar de exceso de confianza y se aventura alegremente en el recorrido amoroso preparado por Escorpio, ignorando las trampas diseminadas por el camino; y si, en su inicio, una prueba algo pesada puede parecerle estimulante, a medida que va penetrando en el tortuoso mundo de Escorpio se siente cada vez menos

rápidamente y se deshace de él; si va mal (para Sagitario), Escorpio empieza a destruir las certidumbres de su compañero con una evidente ferocidad, infunde la inquietud en este generoso corazón y, por si esto no fuera suficiente, lo asfixia cada vez más, hasta impedirle respirar, al querer gobernarlo por completo. Durante algún tiempo, el enamorado Sagitario persiste en el error y cree que conseguirá suavizar los tormentos de Escorpio; le facilita la vida y lo defiende tanto como puede. Pero, tarde o temprano, escuchará su instinto de conservación y, como detesta las complicaciones y es alérgico a los juegos de poder sadomasoquistas, la única solución será la huida, que le permitirá finalmente recobrar la libertad.

ESCORPIO – CAPRICORNIO

Nos encontramos ahora frente a dos signos coriáceos y resistentes que van a gustarse de forma duradera y tenaz. Tanto el uno como el otro no temen las dificultades e incluso se ven estimulados por los objetivos difíciles y, si bien Escorpio es más visceral y Capricornio más controlador, ambos están dotados de una notable sangre fría que les permite afrontar sin dramas las situaciones más extremas. En resumen, reúnen las cualidades ideales para fundamentar un duelo amoroso equilibrado. La fría severidad de Capricornio atrae a un Escorpio a la búsqueda de situaciones difíciles, y este último se da cuenta inmediatamente de que su compañero no es una presa de «usar y tirar»; adivina también que un espíritu deseoso de vínculos profundos vibra debajo del duro caparazón. Por su parte, Capricornio no es insensible al magnético encanto de Escorpio, capaz de disipar su contención glacial. Nace así un vínculo que no puede calificarse como despreocupado, sino que está amenizado por una intensa pasión sensual, una unión que es a la vez enfrentamiento y alianza. A ambos signos les gusta el poder: de carácter

fuerte, no se someten a nadie y buscan incluso la posición dominante. Una ambición común puede unirlos de manera indisoluble y dar lugar a un vínculo que, además de los sentimientos, se asienta sobre objetivos concretos que están dispuestos a conseguir mediante una implicación a fondo, afrontando con valor eventuales adversidades. Serios y decididos, Escorpio y Capricornio descartan toda superficialidad: se aman con firmeza y se estiman profundamente, aunque los conflictos, a veces duros, no pueden excluirse en el caso de que uno de los dos intente limitar la autonomía del otro o poner a prueba su dignidad. En resumen, se trata de un vínculo que puede durar mucho tiempo, incluso toda la vida, a menos que la obstinación por conseguir sus objetivos los aleje del diálogo y acabe por convertirlos en dos «socios» con éxito, pero en ningún caso en una pareja digna de este nombre.

ESCORPIO – ACUARIO

Cuando un Escorpio y un Acuario se encuentran, no existe el término medio: o se odian a primera vista, o se lanzan a una relación insólita, conflictiva pero al mismo tiempo mágica. Ambos nativos son, en efecto, muy diferentes y parecidos: los dos pertenecen a signos fijos, muy obstinados y rebeldes; no soportan ninguna regla ni que les contradigan, han nacido inconformistas y actúan según su criterio, y se sienten a gusto desconcertando a los demás. Con este preámbulo queda claro que, cuando el amor surge, se encamina hacia una senda escarpada o por lo menos poco habitual, puesto que, desde el principio, se establece una especie de duelo en el que Escorpio desafía a Acuario para que abandone su frialdad y tome clara conciencia de sus instintos; Acuario, después de numerosas resistencias, acepta y devuelve la pelota, añadiendo al desafío de los sentidos el de la inteligencia. Se inicia entonces una lucha a diferentes niveles, capaz de apasionarlos cada vez más; la tensión nunca abandona a estos dos nativos y es el combustible que permite continuar una relación que será totalmente extenuante para los nativos más débiles. Pero estos personajes no son solamente testarudos: detestan las relaciones insípidas y miran por encima del hombro sin remordimientos las historias de amor sencillas y serenas de las que se conoce el final desde el principio; entonces, aunque se amen locamente, son incapaces de renunciar al enfrentamiento creativo, a esta confrontación de opiniones, de juicios y de métodos. Existe, sin lugar a dudas, un conflicto abierto entre la sed de posesión de Escorpio y los deseos de libertad de Acuario, pero la facultad de abstracción de este último le lleva a elevarse por encima de toda emoción y lo convierte casi en invulnerable frente a los furiosos ataques de Escorpio, lo que permite prolongar indefinidamente (o casi) las provocaciones, el tormento y el éxtasis propios de esta relación. Pese a los contrastes, la unión puede durar mucho tiempo; se trata de una experiencia extenuante, pero maravillosa, que aporta siempre nuevas sorpresas, y a la cual es muy difícil renunciar.

ESCORPIO – PISCIS

El Agua, elemento común de estos signos, permite un intercambio de energías de tal profundidad que une a Escorpio y a Piscis en un vínculo teñido de una cierta fatalidad. El primero es un signo fijo, el segundo es móvil, y este último está lógicamente destinado a adaptarse al fuerte temperamento de su compañero. Esto es lo que pasa, por lo menos en apariencia, y Escorpio inicia una relación sadomasoquista, de tal manera que se convierte en predador y Piscis en víctima. Pero la ambivalencia de su carácter permite a Piscis no asumir del todo este incómodo papel: su espíritu está lleno de horizontes infinitos y sabe liberarse de las más pesadas cadenas con la habilidad de un prestidigitador. De este modo, Escorpio se enamora con más rapidez de la que querría, se siente vulnerable, puesto al descubierto y experimenta los tormentos que desearía infligir a su dócil compañero. La rabia le hace reaccionar y planea una venganza terrible que puede expresarse con violentos accesos de celos, traiciones cometidas adrede o con una crueldad absolutamente gratuita en el trato con el inocente Piscis. Pero este último no abandona al despiadado Escorpio, puesto que a Piscis le gusta destruir y destruirse por amor, aunque no lo admita, y tanto más cuanto la pareja le propone un erotismo tan intenso y consecuente que puede calificarse de sublime, puesto que es el umbral mágico en el que se encuentran la vida y la muerte. El vínculo entre Escorpio y Piscis es tan fascinante y absoluto que deja muy poco espacio a los otros aspectos de la vida; ambos nativos se lanzan a esta relación y dedican a ella toda su energía olvidando el mundo que les rodea. Zarandeada como en una montaña rusa, esta unión puede durar mucho tiempo, incluso toda la vida, a no ser que se imponga la furia destructiva de Escorpio o que Piscis decida no alcanzar la orilla, cansado de nadar en aguas turbulentas.

Sol en Escorpio – Luna en Aries

Los instintos rebeldes y agresivos se ven potenciados en esta asociación. Sinceras hasta la brutalidad, estas personas viven en lucha permanente en busca de su propia afirmación, sin tener en cuenta las necesidades de los demás. En el amor son apasionadas, exuberantes y se imponen sin término medio. Él busca una mujer enérgica y exuberante, con quien el amor se parezca a un combate. Ella rehúsa toda sumisión y prefiere un compañero que se deje dominar, incluso si se siente atraída por las personalidades fuertes.

Sol en Escorpio – Luna en Tauro

Son personas obstinadas y posesivas, muy sensibles a las gratificaciones sensuales y eróticas. Muy decididas cuando quieren conseguir algo, sufren una contradicción entre su deseo de paz y el de guerra, que da lugar a una serie de experiencias de las que extraen provecho para consolidar su «influencia» terrenal. En el amor son intransigentes y celosas, y tienen una gran necesidad de contacto físico. Para él, la mujer ideal es sólida y afectuosa. Ella necesita un hombre muy viril.

Sol en Escorpio – Luna en Géminis

Son individuos fascinantes, imprevisibles, astutos e inteligentes. Grandes conversadores, extremadamente curiosos y bastante imprudentes, tienen un gran sentido crítico y un humor irreverente. En sus relaciones con los demás, saben utilizar su innegable magnetismo pero es mejor no confiar mucho en ellos. Ella es inconstante y franca, y desea un hombre que la tenga bajo control, del que intentará escaparse seguidamente. Él busca una compañera espiritual y divertida, pero puede reprocharle ser demasiado superficial.

Sol en Escorpio – Luna en Cáncer

Dotados de una aguda sensibilidad que a veces puede turbarlos y suscitar disgustos o una cierta nostalgia, tienen una intuición excepcional que pueden utilizar con los ojos cerrados en cualquier momento, pero deben tener cuidado y mantenerse alejados del sentimentalismo. En el amor, se encariñan profundamente y la familia y los niños tienen una gran importancia para ellos. Él busca una mujer protectora, pero capaz de alimentar su fantasía. Ella, muy maternal, necesita un compañero que le permita sentirse muy amada.

Sol en Escorpio – Luna en Leo

Tienen un carácter fuerte y enérgico, siempre ávido de éxito y reconocimiento. Dominadores, poseen una mentalidad de líder unida a una ambición desmesurada y a una gran determinación, que les permite conseguir los objetivos que se han propuesto. Tienen muy exacerbado el sentimiento de orgullo y carecen casi totalmente de tolerancia y de flexibilidad. Susceptibles, egocéntricos y muy exhibicionistas (sobre todo la mujer), se exaltan con facilidad a propósito de sus fantasiosos proyectos. Tanto él como ella apuntan muy alto, incluso en el amor, y sólo se entregan a personas que merezcan su respeto y su admiración.

Sol en Escorpio – Luna en Virgo

Se trata de una combinación intelectualmente muy favorable, gracias a la unión de una fina intuición y una rigurosa lógica. Pero la personalidad es inquieta y perfeccionista, y el excesivo sentido crítico dirigido hacia sí mismos puede generar un auténtico malestar. Son personas poco seguras que no saben determinar si deben entregarse a los instintos o controlarlos en beneficio de una vida más ordenada; este problema se reproduce en el aspecto amoroso. Él sueña con una mujer eficaz y pragmática. Ella busca un hombre sobrio que sea capaz de acabar con sus reticencias.

Sol en Escorpio – Luna en Libra

Esta Luna amable y diplomática suaviza mucho el carácter y limita la agresividad; se encuentra entonces más dispuesto a aceptar los compromisos, aunque esto se haga algunas veces sin demasiados escrúpulos morales. Una mejor disponibilidad de espíritu facilita las relaciones con los demás, así como la expresión amorosa. Ella se ofrece con elegancia, sin exceso de pasión (salvo en ocasionales estallidos), y desea un hombre que quiera consagrar mucha energía a la vida en pareja. Él desea a una mujer refinada que no sea asfixiante.

Sol y Luna en Escorpio

Se trata de una personalidad compleja e inquieta, con múltiples zonas oscuras e instintos agresivos, incluso llegan a ser destructivos. Son individuos dotados de una intuición penetrante, capaces de manipular a los demás, espíritus vengativos y amantes de la intriga y el misterio. Rebeldes e indomables, viven cada experiencia con un gran valor existencial y profundo. El amor es un drama, un éxtasis apasionado, que va acompañado de una atormentada e intensa sexualidad. Celosos y dominadores, necesitan compañeros que sigan su ritmo y estén dotados de un buen equilibrio personal.

Sol en Escorpio – Luna en Sagitario

Tienen un temperamento aventurero y apasionado, y les gusta el azar y lo insólito. Caracterizados por una especie de extremismo imprudente que puede rayar el desequilibrio, se entusiasman de una forma un tanto fanática y poseen una gran lealtad y franqueza. Su vida es dinámica y conflictiva, pero sólo así consiguen sentirse vivos. Sentimentalmente tienen tendencia al flechazo, a los amores apasionados, en los que consumen toda su energía. Ella busca a un hombre sincero, serio pero no rígido, y muy viril. Él querría una mujer cordial, dinámica y apasionada.

Sol en Escorpio – Luna en Capricornio

Son personas introvertidas y tenaces, dotadas de una gran voluntad y de un sentido de la responsabilidad muy acentuado. Una especie de «necesidad imperativa» impulsa cada uno de sus actos y les sirve de guía fiable, pero a veces resulta demasiado rígida. Ambiciosos, perseverantes y disciplinados, intentan no abandonarse a sus instintos en el plano sentimental. En el amor, son fieles pero exigentes, autoritarios y huraños. Él busca a una compañera sobria y eficaz, que sea insensible a su rudeza. A ella le gustaría un hombre sólido, positivo, pero que la dejara dominar.

Sol en Escorpio – Luna en Acuario

Son personas chocantes, individualistas crónicos que viven su originalidad con convicción. Nunca satisfechos, están siempre a la búsqueda de cosas que salgan de lo común y de lo conocido, por lo que acumulan muchas experiencias en todos los ámbitos. Les gusta también experimentar en el amor, y pueden mantener una relación estable conservando un amplio espacio de libertad. Tanto él como ella necesitan compañeros de aguda inteligencia y dotados de una mentalidad moderna e inconformista.

Sol en Escorpio – Luna en Piscis

Emociones y sensaciones orquestan la vida de estas personas dotadas de intuición, de imaginación y de gran riqueza interior. Pero las certidumbres de Escorpio tienden a diluirse en la ambigüedad; la agresividad es menor, así como el sentido de la realidad, y la ensoñación (a veces morbosa y confusa) ocupa su lugar. En el amor, tienen tendencia al drama constituido por el éxtasis y el sufrimiento; magnéticos, fascinantes y sensuales, pueden implicarse en historias difíciles e insólitas. Tanto él como ella necesitan compañeros a la vez fantasiosos y fiables, y que tengan sentido de la realidad.

SAGITARIO Y EL AMOR

Características de Sagitario

Periodo: del 23 de noviembre al 21 de diciembre
Elemento: Fuego
Cualidad: móvil, masculino
Planeta: Júpiter y Neptuno
Longitud zodiacal: de 240° a 270°
Casa zodiacal: novena
Color: azul
Día: jueves
Piedra: turquesa
Metal: estaño
Flor: jazmín
Planta: haya
Perfume: bergamota

ELLA

Ella es alegre, orgullosa, segura de sí misma, autónoma y directa, tanto en sus acciones como en sus impulsos. Encarna perfectamente la imagen de la amazona, vigorosa y deportista, alejada de los aspectos que se atribuyen generalmente al sexo débil; se entrega con calor, es efusiva, no utiliza ni subterfugios ni astucias y tiene tendencia a entusiasmarse con una ingenuidad que transmite espontáneamente a los demás. Igual que el hombre Sagitario, su espíritu vivo y aventurero se refleja en una vida amorosa muy variada, en particular cuando es joven. El matrimonio y la familia sólo la atraen a partir de una cierta edad, y con anterioridad necesita experimentar, viajar, realizarse como persona y obtener autonomía financiera. Su encanto es natural y exuberante, y ama de manera idéntica: con sinceridad, generosidad y entusiasmo. Pero antes de crear unos lazos estables, y como es muy impulsiva, quiere asegurarse de que su pareja no tiene intención de reprimirla, puesto que aprecia demasiado su libertad como para perderla. Desbordante de vitalidad y de iniciativa, en pareja también le gusta llevar a cabo cosas variadas y tener numerosos amigos; no se detiene nunca, y cualquier compañero a quien le guste la tranquilidad puede encontrarla agotadora. Se consagra apasionadamente a su compañero, sin ser nunca un estorbo, y vive el sexo con alegre sencillez, sin complicaciones cerebrales. Es más fiel que el hombre Sagitario y esta cualidad es para ella una elección libre, una consecuencia natural del amor. Tolera mal los celos y los reproches, que, si son excesivos, pueden impulsarla a radicales rupturas.

ÉL

Optimista convencido, se trata de una persona cordial y amistosa, a quien le gusta estar acompañado y comunicarse de forma entusiasta y calurosa; gracias a su carácter generoso y jovial (Júpiter rige este signo), está siempre rodeado de amigos (y amigas). Ambicioso, le gusta ganar y fijarse nuevos objetivos, y experimenta una gran satisfacción cuando se trata de emprender conquistas femeninas. No tiene problemas en este aspecto, puesto que su encanto y su cordialidad le proporcionan siempre nuevas admiradoras. Apasionado y espontáneo en sus iniciativas amorosas, siente un fuerte atractivo sexual por ellas, muy a menudo pasajero, y, desde el momento en que ha conseguido su

objetivo, quiere empezar a conquistar a otra mujer, en una búsqueda quizás incoherente de aventuras siempre nuevas. Tan sólo la edad le impulsa a estabilizarse, a dar cuerpo a deseos más clásicos, a los que tampoco es ajeno. Necesita una compañera alegre y dispuesta a seguir su ritmo apasionado y más bien desordenado, a no entorpecer su libertad, incluso si esto significa tolerar de vez en cuando una escapada; efectivamente, Sagitario no es un buen ejemplo de fidelidad y, aunque haya establecido un vínculo sentimental, puede dejarse seducir por impulsos efímeros. Pero en el fondo es una buena persona que se arrepiente sinceramente de sus eventuales errores y que ama con gran generosidad; rara vez es desconfiado (lo que no resulta raro puesto que es bastante imprudente), incluso cuando está decepcionado. No es dominante ni excesivamente celoso con su compañera, pero siente un profundo respeto por valores «institucionales» y, como consecuencia, por la autoridad masculina.

CORAZÓN, UNIÓN, RUPTURA

Tanto el hombre como la mujer aprecian las relaciones vitales y las distracciones animadas; para interesarles resulta esencial hacer gala de una cierta dosis de dinamismo y de gusto por la aventura, y los compañeros indolentes y ponderados corren el riesgo de aburrirles con facilidad. Tampoco hay que asfixiarles con menudencias o llevar a cabo un cortejo formal, puesto que son demasiado expeditivos y cordiales para tomarlo en serio y no le concederían la más mínima atención. Como aman la naturaleza, los animales y las cosas sencillas, la mejor táctica consiste en proponerles paseos, excursiones y actividades deportivas, o aprovechar el placer que sienten por la buena mesa e invitarles a una comida sana y deliciosa en un restaurante rústico. Es posible que las primeras veces le resulte difícil encontrarse a solas con un Sagitario, puesto que le gusta salir en grupo y, aunque haya adivinado sus intenciones, preferirá no darle oportunidades tan pronto. No obstante, no busca nunca disimular que se ha enamorado, pues naturalidad y espontaneidad son las palabras que mejor lo definen, por lo que expresa abiertamente sus sentimientos; además, como es un signo de Fuego, arrastra a la persona amada hacia la llama impetuosa de su pasión. Con él (o con ella), todo se expresa sincera y llanamente, puesto que es un signo que detesta las complicaciones y la hipocresía, y que apunta directamente a sus objetivos personales, incluso a pesar de ser un signo móvil que se permite algunas distracciones durante el camino. De vez en cuando, Neptuno, que rige el signo en compañía de Júpiter, se convierte en un buen aliado de huidas más o menos disimuladas, de ausencias sentimentales desconcertantes para

un compañero poco experimentado. No obstante, desde el inicio de la relación intenta hacer comprender su estilo de vida, sus ideales y su concepción de la libertad, que es un valor tanto físico como espiritual al que no está dispuesto a renunciar por nada del mundo. La unión es alegre, animada y rica en centros de interés, en viajes, en amigos y en novedades; dinámicos e inquietos, los Sagitario tienen siempre la necesidad de liberar su exuberante energía y, si usted no tiene el coraje de seguirlos, le dejarán en casa sin hacer ningún drama. Pero, por su parte, usted no deberá montar ninguno, ya que un hombre celoso y asfixiante, o una mujer quejumbrosa y opresiva, son exactamente lo contrario del compañero o compañera ideal que Sagitario sueña con tener a su lado. El aburrimiento está proscrito de la vida en común, incluso a pesar de que, una vez formalizada la relación, los nativos de este signo tengan tendencia a convertirse en más caseros y conservadores, lo que representa un progreso para su compañero, con quien Sagitario se muestra responsable y afectuoso. ¿Y si usted decide abandonar a un trepidante Sagitario? Si es un hombre, consúmase en celos, llore y agóbielo tanto como pueda. Si es una mujer, limite su autonomía, impídale salir sola, sea frívolo, perezoso y sombrío. La rápida fuga de su lado está garantizada.

RELACIÓN CON LOS OTROS SIGNOS

SAGITARIO – ARIES

El Fuego, elemento común de ambos signos, arde alegre y calurosamente en esta relación que, desde el primer momento, se revela como ardiente, impetuosa y apasionada. Es difícil saber quién es el primero en seducir ya que los dos son sinceros, y al no ser ni tímidos ni inhibidos, otorgan inmediatamente el estatus de compañero ideal a una persona tan sincera y exuberante como ellos y se lo hacen comprender de manera clara. Se puede llegar a un gran entusiasmo en esta relación, especialmente cuando se produce durante la primera juventud; se trata de una pareja indomable con una energía inagotable, que se aventura en el mundo con una confianza desmesurada en la vida (por lo que se puede esperar un cierto grado de imprudencia). Sin embargo, tampoco en la edad madura les faltarán a estos dos nativos audacia o impulsividad. El asedio amoroso desborda autenticidad, la pasión sensual arde como una llama inextinguible e incluso las discusiones (que no son improbables cuando Sagitario se enfrenta a una persona tan autoritaria y beligerante como Aries) son un signo de la vitalidad de la relación y del ardor puesto en el enfrentamiento. Si nada serio perturba esta armonía, los nativos se dirigen a

grandes pasos hacia una unión estable que afrontan con mucho fervor; este momento será el banco de pruebas de una pareja en la que Sagitario, necesitado de espacio y movimiento, se adapta mal a los estrechos límites de una vida donde todo se comparte, mientras que Aries, incluso de forma inconsciente, tiene tendencia a imponer su propio universo, acentuando así el riesgo de malestar en su compañero. Si no se produce la presencia de elementos astrales negativos, los dos nativos conseguirán superar con brillantez la prueba, aunque les cueste algunas discusiones; no perderán la sana alegría de vivir que conserva su juventud interior y, años más tarde, se podrá sorprender a Sagitario y a Aries mirándose ardientemente o haciendo las maletas para emprender nuevas aventuras.

SAGITARIO – TAURO

La Tierra, elemento de Tauro, no armoniza nada con el Fuego de Sagitario, y el eclecticismo de este último no constituye un ideal para la recta y sólida personalidad de Tauro, inclinado hacia las verdades inmutables y abocado a una existencia tranquila y bien organizada. No resulta extraño que los nativos de estos dos signos formen una pareja consistente, puesto que los planetas que los rigen (Venus en el caso de Tauro, Júpiter y Neptuno en Sagitario) se encuentran en una buena armonía e incitan a la benevolencia, a una forma de pensar y a unas concepciones positivas; también transmiten a sus protegidos un agradable hedonismo que, con el tiempo, se concreta en un creciente gusto por la comodidad y el lujo. Es cierto que Sagitario es mucho más dinámico y Tauro más perezoso, pero ambos son unos *gourmets* convencidos: el escenario ideal para su primer encuentro debería ser una mesa bien puesta, todavía mejor si se trata de un lugar sano y bucólico, puesto que a ninguno de los dos les gustan los ambientes demasiado sofisticados, sino que comparten un auténtico amor por la naturaleza. La palpitante sensualidad de Tauro influye sobre el ardiente Sagitario, cuyos apasionados impulsos no tienen igual; si se tratara de Sagitario, se lanzaría impulsivamente a la conquista, pero a Tauro no le gusta apretar el acelerador y, si puede concederse una aventura, quiere estar seguro de tener la exclusividad antes de enamorarse. Al conocer el estilo agitado y aventurero de su posible compañero, Tauro no quiere arriesgarse; si Sagitario también está enamorado, deberá moderar algo la vehemencia de sus instintos o consagrarlos íntegramente a su Tauro. Este sabrá recompensarle ampliamente, no sólo con vigor y dulzura en el plano erótico, sino otorgándole igualmente un sólido apoyo práctico (puesto que Sagitario, especialmente el hombre, suele ser un poco desordenado). Por su parte, Tauro deberá ser capaz de soltar lastre si quiere evitar que su compañero (o compañera) sufra de aburrimiento y asfixia.

SAGITARIO – GÉMINIS
Entre estos dos nativos de signos opuestos puede nacer una historia extraña y muy divertida; ambos, uno signo de Aire (Géminis) y otro signo de Fuego (Sagitario), se provocan permanentemente pero, llegado el momento, saben ir uno al lado del otro y recorrer juntos un buen trecho de camino. Resulta más difícil saber si esto durará toda la vida o si uno de los dos tomará tarde o temprano otra dirección; se trata de signos móviles, por tanto imprevisibles e inconstantes por definición, pero también es cierto que, mientras dure su relación, ambos estarán unidos por una amistosa complicidad: si tuvieran que dejarse, lo harían sin rencor.

Espiritual, ecléctico y siempre dispuesto a bromear, Géminis tiene una propensión natural a las transformaciones que le permite desempeñar distintos papeles: esto significa multiplicar el placer de la conquista de Sagitario, un juego que gusta enormemente a este último. Por su parte, Sagitario hace gala de un sano encanto, de espontaneidad y de cordialidad, que ejercen el benéfico efecto de descongelar el espíritu un poco escéptico y distante de Géminis, de insuflarle un poco de saludable entusiasmo. Así se inicia una relación extremadamente viva, agitada y desbordante de estímulos siempre nuevos: grandes enemigos de la rutina, ambos nativos se divierten mucho juntos. Son extrovertidos y muy sociables, y su pareja no es cerrada; la compañía de numerosos amigos y una vida social diversificada alegran la relación. Géminis encuentra en Sagitario un compañero agradable, fiable y afectuoso sin ser agobiante; por su parte, este consigue mantener un amplio espacio de libertad, lo que aumenta su felicidad. Los dos se entienden perfectamente cuando son novios, pero se vuelven algo más serios cuando se comprometen de manera más formal y estable; Sagitario desempeñará entonces un papel decisivo, puesto que la necesidad de dar un significado más profundo a su vida, también a la amorosa, con elecciones importantes, cobra importancia, especialmente cuando ya no es tan joven.

SAGITARIO – CÁNCER

Para las personas con caracteres y gustos tan diferentes, no es fácil comprenderse a primera vista. Se sabe que Cáncer, cuya representación es un cangrejo, es una criatura acuática y que avanza en diagonal y, de hecho, los nativos de este signo no marchan decididos a la conquista, sino que afrontan precavidamente cada experiencia, por miedo a acabar... ¡en la cazuela! Esto es totalmente opuesto al agitado Sagitario, una criatura impulsiva que va por la vida con una alegría inconsciente. Resulta probable que no se establezca una gran corriente de simpatía entre ambos nativos; el rico universo interior de Cáncer le incita a permanecer como espectador antes que a «participar en la pelea»; por el contrario, a Sagitario le gusta la rivalidad, desplegar su energía de mil maneras y, cuando se entusiasma por algún ideal elevado, lo hace en un torbellino de iniciativas y aventuras. No es extraño, pues, que estos nativos no se encuentren, en la medida en que sus mundos no entran en contacto. Pero, entre las infinitas posibilidades ofrecidas por el azar, puede llegar siempre una ocasión para el cortejo y que se produzca una agradable sorpresa. La Luna, el astro que rige a Cáncer, está en una relación armoniosa con Júpiter y Neptuno, los planetas que dominan a Sagitario, un punto favorable que significa que no existe una incompatibilidad definitiva entre ambos, sino fuerzas diferentes que pueden superarse con buena voluntad y, evidentemente, con amor. Mientras que a Cáncer le gusta tradicionalmente la familia, los principios morales del atormentado Sagitario son elevados y, con el paso del tiempo y el apaciguamiento de los primeros ardores, resulta más fácil de atrapar. Cáncer se sentirá protegido por el caluroso optimismo de Sagitario, quien, aunque expeditivo, sabe evitar las posiciones extremas y no amenaza con herir su sensibilidad; además, la sincera espontaneidad con la que el centauro expresa sus sentimientos permitirá a Cáncer dejar de lado ciertas tácticas, que de nada le servirían con él (o ella).

SAGITARIO – LEO

Como corresponde a dos signos de Fuego, esta combinación produce una relación incandescente: impulsivos y muy ardientes, viven el amor como una gran experiencia, una unión de cuerpo y alma a la que consagran toda la energía de sus exuberantes naturalezas. Sagitario es un personaje que agrada inmediatamente gracias a su alegre dinamismo y a su calurosa humanidad; independiente y despreocupado, se distingue por su estilo aventurero, simpático y por la promesa de emociones fuera de lo común para quien comparta su vida. Se trata de una perspectiva interesante para Leo, que, aunque autoritario, se aburre rápidamente con un compañero demasiado respetuoso, mientras que se siente estimulado positivamente por las personalidades audaces, libres y valientes. De esta forma, se lanza a la conquista del trepidante Sagitario, aunque este último se muestre un poco reticente al principio, pues encuentra a Leo arrogante y presuntuoso, incapaz de descender de su pedestal. Sin embargo, un contacto más cercano le permite cambiar rápidamente de opinión: cuando quiere, Leo sabe despojarse de su atuendo real y se abre con sinceridad, recuperando el placer de las relaciones humanas espontáneas e informales. Se inicia entonces una historia ardiente, inflamada por la pasión sensual y el entusiasmo espiritual; ambos viven los sentimientos de forma abierta y leal. Detestan las complicaciones y los subterfugios y no encuentran ninguna dificultad en comprenderse: cada cambio de humor y movimiento del corazón se expone claramente a la luz del Sol. No se trata ciertamente de una relación apacible, puesto que los signos de Fuego se dejan llevar fácilmente por sus emociones y, cuando un Leo y un Sagitario se desafían, la temperatura asciende rápidamente por encima del nivel de tolerancia. Pero estos contrastes son casi los principales de una pareja que puede ser muy feliz, sobre todo si Sagitario satisface las demandas de Leo jurándole fidelidad y cerrando los ojos ante ciertos defectos y si, por su parte, este consigue mantener a raya sus veleidades de dominación.

SAGITARIO – VIRGO

Es una pareja con connotaciones complicadas y que requiere muy buena voluntad y un amor sincero para que funcione. Si se trata de dos nativos «puros», es poco probable que se encuentren, puesto que a los Virgo, ponderados y modestos, no les gusta llamar la atención, sobre todo las del distraído Sagitario, siempre dispuesto a echar a correr tras una presa imposible, que representa para ellos la quintaesencia de la inconsciencia y del azar. Pero la complicidad de elementos astrales favorables puede mejorar la compatibilidad y arrojar más luz sobre las ventajas que sobre las carencias. Aunque a primera vista añore a un compañero despreocupado que sólo piense en disfrutar de la vida y en cosechar por ello algunos disgustos, Sagitario siente un creciente respeto por las tradiciones y tiene en gran estima los principios, algo que

Virgo descubre con auténtico placer, ya que rinde un sincero culto al orden moral (y material). Por su lado, cuando Virgo encuentra a un Sagitario cuyo espíritu está ya conquistado, puede sorprenderlo por su finura intelectual e impresionarlo agradablemente por sus cualidades prácticas, indispensables para resolver los problemas de la vida cotidiana, esas tareas que Sagitario detesta sea cual sea su edad y su nivel social. Ciertamente, ambos deben esforzarse para ir al encuentro del otro, pero en este aspecto les ayuda la naturaleza de sus signos móviles y, por tanto, susceptibles de adaptarse a mentalidades muy distintas de las suyas. Pero para no provocar la huida de Virgo, Sagitario deberá evitar las incursiones brutales en su vida privada y los excesos de apasionamiento en la intimidad; también será necesario olvidar eventuales veleidades de evasión, susceptibles de desencadenar una profunda angustia en Virgo, tan poco seguro de sí mismo. Este no podrá pedir a Sagitario que planifique cada actividad de su vida cotidiana hasta el último detalle, pero un mínimo método y organización no estarían fuera de lugar.

En resumidas cuentas, no se trata del encuentro de dos almas gemelas, pero el sentido común y la capacidad de adaptación de cada uno pueden obrar milagros.

SAGITARIO – LIBRA

Los elementos respectivos, Fuego y Aire, se unen en una armonía positiva y alimentan una estimulante corriente de intereses recíprocos que puede conducir, con el tiempo, a una relación agradable y sólida. Pero para apreciarse mutuamente, es necesario que los dos nativos puedan encontrarse, aun arriesgándose a que cada uno permanezca encerrado en su universo: tranquilo y un poco frío, compuesto de serenidad, belleza y armonía para Libra; cálido y trepidante, movido por impulsos siempre nuevos para Sagitario. Al ser ambos signos extremadamente sociables, podrán observarse mutuamente a distancia en el transcurso de reuniones mundanas o en el seno de un grupo de amigos; así, Libra podrá admirar la cordial desenvoltura de Sagitario, que consigue fundir su prevención, mientras que la graciosa elegancia de la mujer Libra y las educadas maneras del hombre del mismo signo gustarán mucho al sencillo Sagitario, quien no permanece insensible a la atracción de la armonía. Es probable que Sagitario tome la iniciativa de la seducción, pero tendrá que seguir algunas normas básicas. Si Sagitario es una mujer, deberá evitar abordar al hombre Libra de manera demasiado directa, además de no lanzar declaraciones precipitadas, puesto que se trata de un hombre formal que no aprecia los excesos de camaradería, y es mejor dejarlo hacer respetando su tempo y sus maneras. Si Sagitario es de sexo masculino, deberá reprimir su comportamiento expeditivo, sus manifestaciones de alegría demasiado expansivas o las bromas inocentes pero groseras; en resumen, todo aquello que pueda herir la delicada sensibilidad de la mujer Libra y destruir irremediablemente cualquier tentativa de seducción.

La baza ganadora es la cálida espontaneidad de sus sentimientos, que sabe transmitir para fundir el hielo del corazón más reticente, aunque este no sea el caso de Libra, que sólo pide ser amado de manera firme e incontestable. De esta manera, se establece un vínculo armonioso y sereno entre ambos, y cada uno pondrá lo mejor de su parte para ir al encuentro del otro.

SAGITARIO – ESCORPIO

Es complicado realizar un pronóstico seguro sobre una unión que puede tener algunos aspectos cautivadores, pero que difícilmente conseguirá tener éxito en todos los frentes, y que casi siempre sería mejor evitar por completo. Este discurso se dirige a Sagitario, aunque probablemente no lo tendrá en cuenta, puesto que cuando se apasiona no escucha a nadie; por otra parte, al ser los Escorpio unos grandes maestros en el arte del encantamiento amoroso, no es nada extraño que Sagitario caiga con tanta facilidad en la trampa. La aventura lo atrae irresistiblemente, ningún peligro lo detiene, y su incorregible optimismo lo lleva a considerar que puede salir siempre vencedor. Esto no impide que las damas y los caballeros Sagitario encuentren un escollo. El encanto magnético, muy marcado por el erotismo, constituye una de las armas más poderosas de

Escorpio; desencadena impulsos apasionados y deseos inmediatos de conquista por parte de los fogosos Sagitario. Pero Escorpio también se ha convertido en maestro en el arte de hacerse desear, excitando todavía más a su presa con el fin de obtener una rendición incondicional y, de este modo, Sagitario, realmente enamorado, debe someterse al inquietante y cruel dominio de Escorpio y decir adiós a su amada independencia. A no ser que exista la presencia de elementos astrales fuertes en signos diferentes, el vencedor es sin duda Escorpio, signo fijo y tenaz, incluso irreductible cuando se trata de imponer su estilo de vida y llevar sus preferencias hasta consecuencias extremas, una obstinación con tintes sombríos y a veces violentos que pone entre la espada y la pared al ingenuo Sagitario. Aunque, repleto de buenos deseos, este último intente adaptarse a la imperiosa voluntad de su pareja, acabará por no soportar el maquiavelismo, los celos y las trampas (en caso de existir infidelidad), y lo más doloroso, ese destructivo pesimismo que el fuego purificador de Sagitario sólo puede mitigar más que en contadas ocasiones.

En resumen, la mejor solución para este consiste en huir lo más rápido posible.

SAGITARIO – SAGITARIO

Existe un excelente *feeling* entre estos dos centauros, que da lugar a una relación tan alegre y fulgurante como los fuegos artificiales. Emprendedores, optimistas y desbordantes de vitalidad, van uno hacia el otro sin dudar y sucumben sin tomarse tiempo para reflexionar cuando los invade la pasión. Tienen motivos para ello y se divierten mucho juntos, puesto que comparten los gustos y la misma manera de entender la vida, y su historia reúne todas las condiciones para transformarse en una aventura excitante. La única duda que existe no concierne a la intensidad de las sensaciones o a la sinceridad de los sentimientos, sino más bien a la posible duración de este vínculo. Aunque desbordantes de entusiasmo, no son unos campeones de la tenacidad, y abandonan encantados la ruta principal para tomar algunos «desvíos» interesantes, especialmente durante su juventud. En este caso, es probable que tarde o temprano se digan adiós sin que esto suscite un gran drama, y pueden seguir siendo amigos compartiendo un lema: «Fue hermoso mientras duró». Cuando la llama es de una calidad superior, la unión puede iluminarse de manera muy particular y dar paso a una dilatada vida en común; juntos, nuestros Sagitario pueden alcanzar elevadas cumbres y si, en un principio, el entendimiento se fundamenta sobre placeres sencillos y despreocupados que se materializan en una sexualidad impetuosa e instintiva, la evolución personal les permite encaminarse hacia valores más profundos, incluso hasta una comunión espiritual. El idealismo de Sagitario puede convertirse en el referente de esta relación y orientarla hacia objetivos de carácter social y filosófico o impulsarlos a viajar (en sentido literal y no únicamente mental) para descubrir otras culturas y mundos lejanos; para mantener los pies en el suelo, basta con compartir el sueño común de una relación serena, consciente, nunca aburrida y siempre profunda, y de una vida familiar alegre, dinámica y feliz.

SAGITARIO – CAPRICORNIO

Estos dos signos de «casas cercanas» tienen muy poco en común y una relación duradera parece muy improbable. Basta con mencionar sus dos astros protectores, Júpiter y Saturno, ambos importantes pero dotados de cualidades antitéticas: Júpiter incita a una expansión confiada y conlleva un comportamiento existencial, optimista y extrovertido, con tendencia a la autosatisfacción; por el contrario, Saturno, «padrino» de Capricornio, marca las carencias y la dureza de la existencia e induce un pesimismo prudente, una reserva tanto en el amor como en la vida. En la misma medida que Sagitario es exuberante, ama la compañía y es a veces alegremente inconsciente, Capricornio es controlado, solitario, y está dotado de un sentido de la responsabilidad precoz y bien asumido. Cuando se trata de seleccionar un candidato (o una candidata) para el puesto de compañero, Capricornio no se deja llevar por sus emociones instintivas: analiza, controla, sopesa los pros y los contras, y es difícil que un Sagitario se adapte a este esquema tan ideal.

También resulta extraño que un frío saturniano pueda gustar a un frívolo Sagitario: a menos que la reprima, su severidad no le permite expresar libremente su entusiasmo; imagine pues lo que pasará cuando se trata del amor o de la pasión. De esta manera, al no plantearse el problema, cada cual sigue su propio camino.

Ambos nativos pueden beneficiarse de algunas ventajas suplementarias gracias a la complicidad de elementos astrales comunes que conviertan a Sagitario en más pragmático y menos imprevisible, y al saturniano en más comunicativo y dispuesto a sonreír; sin embargo, los dos deberán implicarse para armonizar sus temperamentos, tan diferentes: deberán evitar, por ejemplo, que Capricornio imponga su glacial autoridad o se encierre en gélidos silencios, y que Sagitario decida trastornar, con su desordenada improvisación, los planes bien trazados del previsor Capricornio. De los dos, es probable que Sagitario sea el primero en abandonar, retomando su libertad antes de que el frío penetre en sus huesos.

SAGITARIO – ACUARIO

Se trata de un encuentro muy prometedor entre dos «nativos libres» que consiguen no traicionar sus principios, ni siquiera en pareja, haciendo de ellos una causa común. Acuario es célebre por su inconformismo y la originalidad de su carácter, lo que le sitúa casi siempre por encima de la media: estas cualidades encuentran un amplio eco en Sagitario, siempre a la búsqueda de un compañero suficientemente desenvuelto con quien compartir su propia sed de aventuras. Así comienza su historia de amor, inicio de un viaje, real o metafórico: pueden llevar a cabo grandes descubrimientos juntos, ampliar sus horizontes existenciales y encontrar nuevos ideales, en el seno de una relación que nunca es estática ni frívola, y siempre está en constante evolución. El más apasionado de los dos es, sin lugar a dudas, Sagitario, pero Acuario, emocionalmente más distante, no es refractario a las experiencias eróticas extrañas y el entendimiento sexual no debería causar problemas. En el campo afectivo, ninguno de los dos tiene tendencia a los remilgos y la afectación y, si a Acuario le falta un poco de calidez, Sagitario tiene suficiente para los dos. No existen apenas problemas de celos entre estos dos amantes de la libertad, pero cuanto más se refuerza el vínculo, la necesidad de experiencias disminuye. Sucede lo mismo con la vida en común, y ambos evitan cuidadosamente formalizar la relación, considerando que es más excitante vivir cada uno por su lado; pero como sus caminos se cruzan cada vez con más frecuencia y el tiempo que permanecen juntos supera al que pasan solos, el sentido común les sugiere compartir el domicilio. No corren el riesgo de ver su amor amenazado por la rutina, puesto que ambos son muy hábiles para huir de la opresión de la costumbre y se encuentran siempre implicados en veinte centros de interés, curiosidades y amistades. En el peor de los casos, puede ser que intenten eludir las tareas prácticas y que su hogar se distinga por un cierto caos. Pero, finalmente, el problema no es demasiado serio.

SAGITARIO – PISCIS

Las relaciones entre los signos móviles se caracterizan por una gran inestabilidad, que impide toda certidumbre sobre su porvenir. Entre Sagitario y Piscis existe una cierta afinidad, ya que están apadrinados por los mismos planetas, Júpiter y Neptuno, pero las virtudes y los defectos de estos astros son interpretados de forma muy distinta por estos dos signos, que pertenecen además a elementos antitéticos, el Fuego y el Agua. Aunque pueden gustarse, a veces mucho, deben tener la posibilidad de contar con sólidas presencias planetarias en otros signos para poder resistir a largo plazo. Según prevalezcan las influencias jupiterianas o neptunianas sobre estos dos nativos, pueden presenciarse historias agradables teñidas de hedonismo y placeres carnales, o amores idealizados, inspirados por mágicos impulsos espirituales. Sea

como sea, las diferencias de carácter y de sensibilidad son numerosas y difíciles de superar. Sagitario se deja seducir muy fácilmente por el dulce y lánguido encanto de Piscis, a la vez que encuentra mucho más difícil adaptarse a sus cambios de humor, comprender ciertas ambigüedades de su comportamiento, y no puede dejar de arder de impaciencia cuando su compañero «desconecta» y se aísla del mundo que le rodea, lanzándose a la contemplación de Dios sabe qué. Si, además, se trata de una mujer de lágrima fácil, el hombre centauro corre el riesgo de perder la paciencia. Por su parte, Piscis, en general nada dinámico, se entusiasmará poco con el exuberante ritmo de Sagitario, que está siempre a punto para lanzarse a ocupaciones francamente agotadoras para su gusto. Pero, si rehúsa acompañarle, este último decidirá hacer las cosas por su cuenta: Piscis se arriesga entonces a caer en la ansiedad y decidirá quizá consolarse con alguna que otra escapada. En resumen, las complicaciones se multiplicarán y se alejarán cada vez más; si saben que no son realmente modelos de fidelidad, parece probable que acaben por encontrar un compañero más convincente.

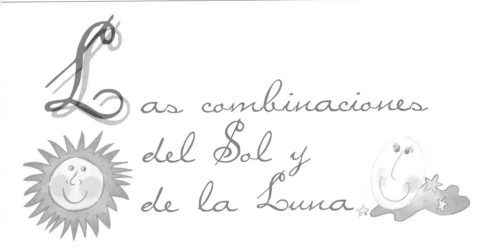

Las combinaciones del Sol y de la Luna

Sol en Sagitario – Luna en Aries

Se trata de un temperamento fogoso, valiente, optimista y entusiasta. La rapidez, la impaciencia, la excitación y una gran necesidad de actividad caracterizan a estos nativos; son dinámicos, constructivos y están siempre inquietos; son generosos a la vez que imprudentes, un poco demasiado ingenuos y aventureros. Sus sentimientos son intensos pero superficiales; en ellos, la pasión nace y se extingue rápidamente. Independiente y constante, ella busca la libertad total y elige a menudo compañeros algo pasivos. Él se halla a la búsqueda de una relación de iguales con una mujer audaz y exuberante.

Sol en Sagitario – Luna en Tauro

Son personas más realistas y menos atormentadas que el nativo estándar. Su deseo de aventuras es muy reducido y buscan elementos concretos, la satisfacción de sus necesidades materiales. El amor a la naturaleza y los placeres sencillos y sanos, especialmente la buena mesa, son importantes. Su sensualidad es aguda, y el sentimentalismo, ponderado. Hacen gala de sentimientos firmes y de un gran respeto por las tradiciones y los valores morales. A ella le gustan los ambientes bucólicos y desea una relación de pareja estable y duradera. Él busca una mujer sólida, maternal y afectuosa.

Sol en Sagitario – Luna en Géminis

Se trata de una combinación de signos móviles que acentúa la inconstancia del carácter e induce un deseo algo superficial por la novedad, el cambio y la aventura. Se trata de personas brillantes, espirituales, muy simpáticas y fascinantes, pero a menudo refractarias al compromiso, sobre todo sentimental. Él es un hábil seductor que formula bellas promesas pero no siempre es digno de confianza. Ella es extrovertida, curiosa, y tiene numerosos puntos de interés. Ambos necesitan un compañero de espíritu abierto que no intente enclaustrarles.

Sol en Sagitario – Luna en Cáncer

He aquí una personalidad menos expeditiva e imprudente, más sensible e intuitiva que el nativo estándar, y particularmente atenta a los matices. Se trata de personas un poco indolentes que se evaden a través de la imaginación; manifiestan su alegría de vivir con un deseo de lujo y de comodidades materiales, y certidumbres emotivas y afectivas que les reafirmen. Su amor por la tradición es exacerbado y se concreta en la familia y la relación de pareja, que suelen ser sus referencias. Autónoma y valiente, ella es muy cálida y está dotada de un gran sentido maternal. Él busca una mujer fabricada con el mismo molde que el suyo.

Sol en Sagitario – Luna en Leo

Calor, optimismo y seguridad rayan a menudo la presunción y son características de estos individuos que viven pasiones inflamadas por ideales y proyectos grandiosos; se consagran a todas las causas con generosidad y valentía, pero carecen de reflexión y no tiene ninguna conciencia de sus propios límites. Son impetuosos en el amor y tienen pretensiones posesivas sobre los que aman. Él desea una mujer dinámica, de buena apariencia y con un alma noble. Dominante y orgullosa, ella busca siempre sentirse adulada como una auténtica estrella de cine.

Sol en Sagitario – Luna en Virgo

El entusiasmo se ve frenado por esta Luna tímida y sensata que infunde responsabilidad en el centauro y lo convierte en más reflexivo aunque un poco menos espontáneo. Oscilando entre el optimismo y el pesimismo, estas personas tienen un elevado sentido de la moral que acaba por transformarse en moralismo. Son poco desenvueltos en el amor; especialmente ella es bastante reservada y sólo se entrega cuando encuentra a la persona adecuada, que debe ser fiable, viva y arrolladora. Él busca una compañera sobria, cerebral y desprovista de toda vulgaridad.

Sol en Sagitario – Luna en Libra

Es una combinación armoniosa que da lugar a un temperamento flexible y cordial, amante de la justicia y de la honestidad. El gusto por la moderación desactiva su ímpetu. Son personas que se abren de forma amable y espontánea a los demás, y así ganan numerosos amigos. Ella sabe combinar el amor por la libertad y la capacidad de identificarse con el ser amado. Él se siente atraído por una mujer ecléctica, elegante y de buen gusto.

Sol en Sagitario – Luna en Escorpio

En esta combinación, la agitación típica del signo se exagera, el individuo tiene dificultades para encontrar su lugar y puede caer en algunos excesos en el transcurso de su búsqueda existencial. Más agresivo y menos despreocupado que el nativo estándar, es muy instintivo tanto emocionalmente como en el dominio de los sentidos: las pulsiones eróticas están acentuadas y pueden desencadenar atormentadas pasiones. Dotados de un encanto magnético e inquietante, tanto él como ella detestan los tópicos en el amor y buscan un compañero que sea digno de ellos.

Sol y Luna en Sagitario

Tienen una personalidad extrovertida y generosa; son una especie de almas altruistas que se abren hacia los demás con confianza y están deseosas de hacer el bien. Sentido moral, respeto por las tradiciones y sano idealismo, pasión e ingenuidad son rasgos característicos de estos nativos. La alegría viene a menudo acompañada de intereses filosóficos y espirituales, pero el aspecto práctico y el deseo de disfrutar de los placeres de la vida también son muy fuertes. Ella desborda vitalidad, es activa y optimista. Él se siente atraído por el exotismo, pero potencia el papel de sabio *paterfamilias* cuando es necesario.

Sol en Sagitario – Luna en Capricornio

La brillante despreocupación del signo queda atenuada en beneficio de un carácter más profundo, reflexivo, introvertido y algo huraño. El entusiasmo queda debilitado y el impulso se orienta hacia fines prácticos, menos planificados que en el nativo estándar. Ambiciosos y tenaces, estas personas son poco apasionadas en el amor y se encuentran un poco a la defensiva en el plano emocional. Tanto él como ella tienen tendencia a llevar a cabo escrupulosas elecciones fundamentadas en evaluaciones precisas y buscan compañeros fuertes, sólidos y maduros.

Sol en Sagitario – Luna en Acuario

Tienen un carácter independiente e individualista, que se nutre a veces de ideales demasiado nuevos o hermosos para ser realizados. Desprovistos de prejuicios, aman mucho su libertad personal y son reticentes a implicarse, incluso en el amor, por lo menos mientras no hayan experimentado todo aquello que desean. Tanto él como ella necesitan compañeros comprensivos y abiertos para crear un vínculo fundamentado en afinidades electivas, y en intereses sociales y culturales comunes, así como en el amor.

Sol en Sagitario – Luna en Piscis

Esta Luna acentúa la bondad, la generosidad y los buenos sentimientos. Se trata de individuos inspirados, románticos y desbordantes de fantasía, que pueden aspirar a ideales elevados. Pero su cándida ingenuidad puede igualmente exponerlos a la explotación o a las manipulaciones de otros. Su sentido de la realidad es débil y el desorden, importante; desde el punto de vista emocional se dejan llevar hacia un sentimentalismo exagerado y a veces confuso. Muy sensibles, tanto él como ella son capaces de una gran devoción amorosa, hasta el punto de anularse en beneficio de su compañero.

CAPRICORNIO Y EL AMOR

Características de Capricornio

Periodo: del 22 de diciembre al 20 de enero
Elemento: Tierra
Cualidad: cardinal, femenino
Planeta: Saturno
Longitud zodiacal: de 270° a 300°
Casa zodiacal: décima
Color: marrón
Día: sábado
Piedra: ónice
Metal: plomo
Flor: espino albar
Planta: abedul
Perfume: aloe

ELLA

Digna y reservada, aunque dotada de una fuerte personalidad, no tiene tendencia a destacarse, no por modestia, porque es muy ambiciosa, sino porque no desea malgastar su energía en frivolidades, lo que crea la impresión de que se considera superior a los demás y se encierra en una torre de marfil. Saturno, el planeta del signo, la convierte en prematuramente seria y, al igual que su homólogo masculino, no es tan despreocupada como sus amigas. La edad de oro de las Capricornio comienza más tarde, puesto que el paso de los años les confiere una sabiduría que se refleja en un sobrio encanto, austero y elegante. No es pues una mujer que uno perciba a primera vista, y es necesario aprender a conocerla para apreciar algunas cualidades que esconde celosamente. Es más bien tímida y se mantiene a la defensiva en todo lo relacionado con los sentimientos; es dueña de sus emociones y teme dejarse dominar y exponerse a dolorosas desilusiones. Su carácter prudente, por no decir desconfiado, la lleva a rechazar los flechazos, y sopesa cuidadosamente cualquier decisión, incluida la elección de la pareja. El hombre de su vida debe ser tan ambicioso como ella, fuerte, dotado de un sentido práctico y fiabilidad, y capaz de fundir sus más íntimas resistencias para que pueda abandonarse al amor. La estima y la confianza son factores esenciales para que se entregue a un hombre, pero nunca aceptará un papel secundario en la pareja, y valorará mucho su autonomía, además de la preservación de su libertad y de su forma de actuar y de pensar.

ÉL

Se trata de un hombre muy serio, profundo y poco hablador. Tenaz, paciente y centrado en sus intereses, no es demasiado sociable y no otorga su confianza más que a unos pocos elegidos. Cuida las emociones y las motivaciones de su corazón e intenta no manifestar ante los demás su necesidad de afecto, que considera una debilidad de la que podrían aprovecharse los otros. Pero con el paso de los años se suaviza un poco, empieza a tener confianza en sí mismo y se deja ir. De naturaleza pesimista, detesta perder el tiempo en cosas inútiles y sus objetivos personales (estudios, trabajo, carrera) pasan por delante de todo; sólo después de haber conseguido una posición social segura, podrá relajarse e incluso divertirse. Su discurso es idéntico en lo que concierne al amor, y no es en absoluto un mujeriego.

Aunque no desdeñe aventuras con connotaciones eróticas, quiere tener tiempo para reflexionar antes de implicarse por completo en ellas, y resulta extraño que se comprometa joven; si lo hace, preferirá esperar a estar seguro de poder ofrecer a su mujer una vida confortable antes de fundar una familia. Muy exigente, no se enamora con facilidad y le cuesta admitir sus sentimientos; es necesario tener paciencia y dulzura para conquistarlo, pues, aunque parece duro e impenetrable, necesita seguridad y amor; sólo es cuestión de tiempo que se sienta seguro de sí mismo y revele las apasionadas facetas de su temperamento; sin caer en mimos o en el romanticismo, manifiesta su amor a través de su comportamiento y de una fidelidad inquebrantable.

CORAZÓN, UNIÓN, RUPTURA

De lo dicho puede deducirse que no resulta fácil acercarse a un Capricornio, hombre o mujer, que se atrinchera tras sus defensas y se rodea de un ambiente glacial que no favorece los contactos. Sus nativos no creen en el amor a primera vista, y no se puede intentar atravesar rápidamente su coraza; para conquistarlos, se necesita convicción, voluntad y paciencia. No es imposible tener una aventura con un Capricornio, pero es muy extraño que se transforme en algo más y si, por desgracia, usted se enamora y no existe reciprocidad, le pondrá de manera inflexible en su sitio. Si este signo le interesa realmente, tendrá que empezar a escalar con paciencia la «montaña sagrada», puesto que, aunque se sientan profundamente halagados por sus atenciones, nunca darán un paso hacia usted. Si se trata de una mujer, manifiéstele admiración y respeto; resulta muy contraproducente tratar de impresionarla con impulsos ardientes. Ella se convencerá por sí misma de la seriedad de sus intenciones; dele tiempo para que le aprecie, transmítale seguridad y hágale comprender que puede compartir con usted valores profundos y que desea ofrecerle no sólo amor sino una fidelidad incondicional, y también hermosas perspectivas concretas. Él, todavía más coriáceo, confía más en la razón que en el corazón, y hasta después de haberla estudiado cuidadosamente no podrá encontrarla digna de su interés. Hay que descartar por completo las manifestaciones frívolas, la cháchara, las murmuraciones y las necedades, puesto que le clasificaría inmediatamente en la categoría de mujeres superficiales y la excluiría de su agenda. Muéstrese como una persona responsable, que sabe lo que tiene que hacer, que tiene objetivos concretos en la vida y que busca a alguien con quien poder compartirlos, pero que también es capaz de conseguirlo sola; él aprecia a las mujeres ambiciosas e independientes, pero no demasiado inconformistas, una señal silenciosa pero autoritaria de que desea conservar la posición dominante en el seno de la pareja. Es también necesario saber escucharlo, puesto que casi siempre habla únicamente para decir cosas importantes.

Después de haber superado el examen definitivo, la unión seguirá un camino bien trazado, una especie de periodo de prueba antes del matrimonio. Los Capricornio se muestran serios y fiables, aunque un poco secos con su pareja; pero, en la intimidad, cuando están realmente a gusto, revelan una naturaleza más sensual (no hay que olvidar que se trata de un signo de Tierra, que no es indiferente a los placeres terrenales). Cuando el fuego de la pasión se ha consumido, recuperan su actitud fría y distante, pues el carácter íntimo de su sensualidad debe quedar en secreto en el seno de la pareja. Dotados de un gran sentido del deber, tanto el hombre como la mujer Capricornio se sienten felices asumiendo sus responsabilidades familiares.

Si se da cuenta de que se ha equivocado y desea que le abandonen, basta con comportarse de manera inconstante y extravagante, comentar que está harto de esta relación que no le deja tiempo suficiente para usted mismo.

Si tiene que marcharse, no le detendrá, ya que su orgullo le impedirá actuar para evitarlo.

RELACIÓN
CON LOS OTROS SIGNOS

CAPRICORNIO – ARIES

El encuentro entre estos dos signos cardinales no tiene lugar bajo unos auspicios favorables: en la misma medida que Aries es fogoso e irreflexivo, Capricornio es frío, analítico y ponderado. Pero muy a menudo, el saturniano incuba una admiración secreta por las personas extrovertidas y optimistas, lo que le incita a ceder más fácilmente ante los impetuosos avances de Aries; sin embargo, es probable, e incluso deseable, que sólo se trate de una simple aventura. Efectivamente, Capricornio tiene una forma de evaluar muy rigurosa que le permite elegir sus potenciales compañeros y es muy difícil que Aries encaje en este esquema, a causa de su enorme ímpetu, de la imprudencia de sus acciones y del aspecto superficial de sus emociones. Es, pues, extraño que la relación se convierta en algo serio. Pero esto puede suceder, y es necesario entonces que ambas partes realicen un gran esfuerzo, aunque la tarea más ardua deberá realizarla Aries. Capricornio, de forma natural, se deja llevar más por el deber que por el placer, y el sacrificio por cosas importantes (generalmente por los estudios o la carrera) no tiene para él nada de insólito. Por el contrario, Aries ve la implicación como una lucha que requiere un rápido desenlace, y no está acostumbrado a la espera, a la paciencia, a profundizar progresivamente en la relación. Esto es exactamente lo que le pide Capricornio, que madura lentamente sus decisiones y que no puede aceptar un compañero que vaya quemando etapas; tampoco piensa en ceder, especialmente porque quiere establecer lo más rápido posible una supremacía duradera. Y si, por amor, Aries está dispuesto a cambiar y a reprimirse, no lo está a ceder el primer puesto. Se asiste a una lucha entre dos voluntades igualadas, pero que se expresan en tiempos y maneras totalmente diferentes. A menos que existan aportaciones planetarias decisivas en otros signos favorables, resulta extraño que la unión fructifique y Aries abandonará seguramente el primero esta unión, cuando las llamas del entusiasmo se hayan extinguido tras el prolongado contacto con la frialdad saturniana.

CAPRICORNIO – TAURO

He aquí un encuentro prometedor entre dos signos «terrestres» que, como tales, tienen muchas cosas en común. Tauro, regido por Venus, está dotado de un encanto muy tangible que no deja de impresionar a Capricornio, que, aunque reservado y frío, no permanece indiferente a los placeres de la carne; además, Tauro le inspira esta confianza que todo saturniano busca en la pareja ideal. La mujer Capricornio aprecia mucho el discreto pero tenaz cortejo del hombre Tauro, que le muestra desde el principio toda la paciencia y el realismo del que es capaz; sus maneras suaves pero firmes le infunden seguridad y comprende que puede fiarse de él con los ojos cerrados. La mujer Tauro, espontánea, afectuosa y maternal, es perfecta para suavizar la rigidez del hombre Capricornio, que no tan sólo queda seducido por su gracia, sino que encuentra en ella el afecto sencillo e incondicional que le permite sentirse protegido de sorpresas desagradables. Puede iniciarse así una historia de amor sincera y profunda acompañada de sólidas garantías de duración; Tauro aporta la alegría de vivir y el gran don de dulcificar la vida de aquel (o aquella) que comparta su techo, mientras que Capricornio es guardián de una conciencia racional y es previsor. Ambos están de acuerdo en eliminar cualquier imprevisto e imprimir a su unión un ritmo lento y regular asociado al sentido común. Buscan lo esencial y no creen que el amor pueda mantenerse si falta una adecuada base de bienestar; ellos se afanan en construir un porvenir confortable y seguro, un objetivo que satisfaga plenamente tanto el placer por acumular, característico de Tauro, como la ambición de Capricornio, convertido en maestro en el arte de elaborar proyectos a largo plazo. El

defecto de esta pareja consiste en que se concentran excesivamente en el aspecto material de la vida y se arriesgan a un empobrecimiento espiritual, por no mencionar la dimensión sentimental; es importante que los dos nativos eviten encerrarse de forma egoísta en su mundo.

CAPRICORNIO – GÉMINIS

No existe prácticamente ningún lazo capaz de unir al severo Capricornio con un desenvuelto Géminis. Su manera de afrontar la vida difiere por completo, así como su temperamento: si el primero es introvertido y cerrado, el segundo es efervescente y sociable. Resulta extraño que ambos se aprecien, puesto que Géminis encarna un tipo de personalidad lúdico, inconstante y locuaz que Capricornio detesta, mientras que este es juzgado por Géminis como espantosamente serio e incapaz de bromear. Sin embargo, existen coincidencias en el interés intelectual, cuando los dos signos consiguen superar sus prejuicios y valorar sus respectivas cualidades: Capricornio aprecia mucho a los espíritus brillantes capaces de improvisar, mientras que Géminis

admira la claridad de juicio y el pensamiento coherente. Es así como puede establecerse una amistad intelectual que propiciará encuentros más asiduos, hasta que de una forma u otra la relación se amplíe. Al principio, las diferencias alimentarán este vínculo y será estimulante para ambos nativos descubrir una forma distinta de pensar y de sentir. Las fantasiosas ocurrencias de Géminis divertirán a Capricornio y le harán olvidar sus obligaciones durante unos instantes, y Géminis podrá aprovechar la sabiduría saturniana para convertirse en una persona más intuitiva. Pero la relación continuará siendo muy desequilibrada y, a no ser que intervengan otros factores astrales que faciliten el entendimiento, Géminis nunca podrá aportar al Capricornio la certidumbre con la que sueña este. Aunque intentara hacerlo por amor, tarde o temprano se sentiría asfixiado en este universo saturniano de normas y reglas donde todo está planificado y la ausencia de compromiso es un pecado mortal. Por otra parte, a Capricornio se le agota pronto la paciencia: detesta perder el tiempo y, cuando se dé cuenta de que Géminis duda, cambia de opinión y se escabulle, decidirá que ya ha visto suficiente y pensará en romper de forma definitiva, a menos que el otro ya se haya marchado.

CAPRICORNIO – CÁNCER

Tanto pueden sentirse mutuamente atraídos el uno por el otro de manera irresistible como experimentar una antipatía instintiva: esta es la gran

duda que plantean las uniones de los signos opuestos y, por tanto, provistos de cualidades y defectos contrarios pero a la vez complementarios. Capricornio es un racionalista convencido que controla estrechamente sus emociones, mientras que Cáncer, signo de Agua, es profundamente emotivo y fantasioso; Capricornio es un materialista fanático que sólo confía en sí mismo y representa indudablemente un gran escollo para los demás, en las antípodas del soñador y lunático Cáncer, que es una criatura hipersensible e impresionable. No obstante, existe algo en común entre el pétreo muro defensivo erigido por Capricornio y el capullo protector en el que se refugia Cáncer, porque ambos tienen miedo de que se aprovechen de ellos y de que hieran sus sentimientos, a pesar de que sus caracteres y sus comportamientos respectivos son diametralmente opuestos. Para Cáncer, los sentimientos son la savia de la vida, el filtro mágico que puede hacer desaparecer sus miedos y conducirlo al éxtasis; para Capricornio, los sentimientos son un asunto serio que afronta con la pru-

dencia y la responsabilidad que aplica a todas las cosas. Pero la Tierra de Capricornio y el Agua de Cáncer se mezclan fácilmente, y puede darse el caso de que Cáncer se encapriche del encanto de Capricornio, una persona digna de gran confianza, o que el saturniano sienta palpitar su corazón fuertemente ante las lánguidas proposiciones amorosas del tierno Cáncer.

El acuerdo parece prometedor, especialmente entre el hombre Capricornio, ambicioso fuera de casa y autoritario y protector en familia, y la mujer Cáncer, esposa devota y madre amantísima; si ella puede soportar su severidad, porque él es una persona muy avara en sus manifestaciones de ternura, podrá contar con su fidelidad y su tesón para garantizar el bienestar material de su familia. Si Cáncer es un hombre, la mujer Capricornio deberá servirle al mismo tiempo de madre y de esposa, aunque este doble papel podría no complacerle.

CAPRICORNIO – LEO

La Tierra de Capricornio no se encuentra en armonía con el Fuego de Leo, y hace falta, por tanto, un esfuerzo recíproco para ir mutuamente al encuentro y comprender las motivaciones de cada uno; los temperamentos no son susceptibles de ser comprendidos a primera vista: deslumbrante imagen en el caso de Leo y reserva huraña para Capricornio. Sin embargo, la magia no resulta imposible entre ellos. Dotados ambos de fuertes personalidades, buscan un compañero que,

como ellos, esté por encima de la media y se imponga por su propia autoridad; por tanto, se sentirán favorablemente impresionados en el momento en que se encuentren. Cuando Capricornio es de sexo masculino, queda impresionado por la cálida y fulgurante vitalidad de Leo, que, en poco tiempo, funde su frialdad y despierta el lado apasionado que tan bien disimula; ella se le aparece al mismo tiempo como una figura femenina ideal para un hombre tan ambicioso, que necesita una mujer prestigiosa, con clase y que sepa conducir con brillantez las relaciones públicas de la pareja, un rol que él no es capaz de asumir plenamente. Por su parte, el encanto austero y sobrio de la mujer Capricornio revela una personalidad profunda, decidida e independiente, capaz de asumir responsabilidades y sacrificios para alcanzar objetivos importantes, pero que no está dispuesta a renunciar a sus principios. Todos estos aspectos despiertan la sincera admiración del hombre Leo, porque, sin desdeñar las apariencias, siente un profundo respeto por las mujeres responsables, serias y dignas. Con alguna buena corrección astral, la relación puede funcionar correctamente, a pesar de que se planteen algunas divergencias (Capricornio tiende a la avaricia y Leo a la prodigalidad; a Leo le encanta aparecer en público, mientras que Capricornio prefiere la soledad), pero si unen sus fuerzas, ambos nativos pueden llegar lejos. Sin embargo, cabe desear que no formen una pareja en la que las únicas preocupaciones sean el dinero y el éxito (sus dos grandes pasiones), sino que también sepan enriquecerse interiormente.

CAPRICORNIO – VIRGO

He aquí una pareja equilibrada y juiciosa, que promete durar mucho tiempo y satisfacer a ambas partes. Virgo, favorito de Mercurio, posee una personalidad eficaz y concienzuda que parece existir para entenderse con Capricornio: dotado de realismo y de sentido crítico, este no actúa nunca al azar y tantea cuidadosamente el terreno antes de dar un paso; no contento con estas precauciones, mantiene un meticuloso registro de todo aquello que hace y deshace. Además, los Virgo son inseguros y necesitan un compañero autoritario y decidido que dirija la situación con mano firme. En otras palabras, es raro que el carácter de Virgo sea lo bastante vigoroso como para reducir el dominio de Capricornio, y este último podrá aprovechar sus buenos y leales servicios sin poner en cuestión su querida supremacía. Por otra parte, Virgo, dotado de una sensibilidad muy aguda, sufre a menudo un complejo de inferioridad que no le permite realizar tareas que estarían a su alcance; desde este punto de vista, la compañía de Capricornio puede hacer milagros, porque supone un ejemplo concreto del modo de alzarse hasta la cumbre persiguiendo con tenacidad sus ambiciones personales, y darle un pequeño empujón al amor propio incitándole a hacerlo cada vez mejor. La relación sigue un camino bien trazado y es raro que lo abandonen, porque a ninguno de los dos nativos le gusta improvisar: esto queda claro desde el inicio de la relación. Capricornio se encapricha de una Virgo porque comprende que su estilo impecable y sobrio es el reflejo de una mujer inteligente que desea un orden existencial riguroso. La mujer Capricornio se enamora de un hombre Virgo porque entrevé un espíritu analítico y trabajador, bajo un aspecto benevolente, así como la capacidad para administrar cuidadosamente los recursos de la pareja. Es cierto que esta unión no se verá impregnada de idealismo ni estará repleta de sorpresas, y que algunos podrían encontrarla aburrida, pero ellos la quieren exactamente tal y como es.

CAPRICORNIO – LIBRA

El acuerdo no resulta fácil entre estos dos signos cardinales, tan distintos en estilo y temperamento. Pero no es imposible que ambos puedan gustarse y sentirse atraídos por sus diferencias recíprocas: el hombre Capricornio, muy huraño y retraído, queda hechizado por la gracia de la mujer Libra, por la amabilidad de una compañía que le permite ser aceptado en todos los sitios; la mujer Capricornio ve en el hombre Libra una personalidad discreta y agradable, sin los molestos excesos de los protagonistas. Por su parte, los Libra admiran el sentido práctico y la firmeza de ánimo de los saturnianos, que garantizan un buen apoyo, tanto en el plano práctico como en el carácter. Pero una relación seria hace aflorar las profundas divergencias. Libra puede parecer superficial con esta necesidad de aprobación y con este deseo de perfección sistemática frente a los demás, que son los medios que emplea para alcanzar la armonía, para él y para el prójimo, lo que representa el súmmum de su aspiración. Por el contrario, Capricornio es un pesimista crónico a quien le importa poco la aprobación de los demás, y parte incluso del principio de que los otros no se interesan por él o que intentan cerrarle el paso; en consecuencia actúa para bastarse por sí mismo y no tolera bien las injerencias. En el mejor de los casos, el amor entre Libra y Capricornio puede facilitar la comprensión de concepciones tan antitéticas, y convenir a ambos signos inspirando en Capricornio una mayor serenidad interior y un creciente interés por los demás, así como una mayor autonomía y una intensa voluntad de realización en Libra. Pero, cuando esta delicada química no funcione, Capricornio, de temperamento más frío y poderoso, intentará imponer a Libra su propio modo de vida y, entonces, se correrá el riesgo de entristecerlo poco a poco.

Es difícil que ambos nativos perciban que algo no va bien entre ellos, porque aparentemente son una pareja perfecta, a pesar de que, en realidad, el interés haya muerto, sofocado por un excesivo rigor racional, y haya sido reemplazado por una indiferencia silenciosa, cuando no francamente hostil.

CAPRICORNIO – ESCORPIO

Cuando el austero y frío Capricornio encuentra a uno de los personajes más intrigantes del zodiaco, en este caso Escorpio, es inevitable que quede impresionado porque es uno de los pocos signos que no puede someter. Al igual que él, Escorpio no es locuaz, pero su introversión deja entrever problemas secretos y no la desencantada melancolía que Capricornio cultiva. Cuando este es de sexo masculino, el hechicero encanto de la mujer Escorpio trastorna profundamente sus adormecidos impulsos y le incita a la conquista; ella domina bien el arte de hacerse desear y lo atrae progresivamente, hasta que ambos se encuentran estrechamente unidos. La mujer Capricornio aprecia las miradas intensas y repletas de sobreentendidos del hombre Escorpio que dicen más que las palabras y, en lo que la concierne, despierta sus instintos, que hacen caer inexorablemente las barreras defensivas. Se crea, de este modo, una unión con tonalidades fuertes, que suele culminar en una lucha silenciosa entre dos personalidades igualmente sólidas y que pretenden imponerse, que aman intensamente, pero que no ceden ni un milímetro durante los litigios. Estos dos signos tienen temperamentos muy diferentes que, bien asociados, pueden conducir a una simbiosis muy positiva para ambos: Capricornio puede descubrir la fuerza de los instintos que siempre ha reprimido, y al mismo tiempo las tendencias extremistas de Escorpio se verán

frenadas. Por su parte, este puede comprender el valor de la autodisciplina y aprender a construir con paciencia en lugar de destruir rabiosamente. No obstante, ambos tienen una tendencia común a aislarse, tanto por desconfianza (Capricornio) como por desprecio o espíritu polémico (Escorpio), y aunque se entienden muy bien juntos, corren el peligro de encerrarse en una relación de la que excluyen sistemáticamente a los demás, de los cuales

sólo ven aquello de lo que pueden aprovecharse como individuos y como pareja. Es deseable que los factores astrales más favorables suavicen su orgullo y los hagan algo más flexibles.

CAPRICORNIO – SAGITARIO
Es legítimo expresar dudas sobre el éxito de una unión entre el glacial Capricornio y el caluroso Sagitario. Ciertamente, tratándose de signos próximos, es probable que cada uno posea algún planeta en el signo del compañero, lo que beneficiaría sin duda el acuerdo; pero, si nos referimos al estereotipo, ambos tienen poco que compartir. Sagitario ama mucho la vida, y la considera una aventura apasionante y llena de sorpresas que desea descubrir para garantizarse emociones. Capricornio tiene una visión muy diferente de la existencia, la cual se le aparece como un camino escarpado y sembrado de obstáculos que es necesario recorrer con una tenacidad sin fisuras contando sólo con su propio esfuerzo. Un joven Sagitario, hombre o mujer, está demasiado ocupado haciendo cabriolas alegremente para percibir a un Capricornio, que, aunque tenga también la misma edad, tiene el aspecto y la seriedad de un adulto que se ocupa de sus cosas. Incluso en la madurez, la mujer Capricornio considera siempre que el hombre Sagitario es escandaloso, presuntuoso e infiel; y el hombre Capricornio juzga a la mujer Sagitario invasora, demasiado liberada e incontrolable. Por su parte, los

Sagitario opinan que los saturnianos son unos pesados insoportables, cargados además de autoritarismo. A pesar de estos pronósticos, cabe la posibilidad de que salte una chispa entre ambos, y que Capricornio se caliente con el alegre fuego que arde en las venas de todo Sagitario, mientras que este descubrirá que su compañero no tiene un corazón de piedra detrás de una fría coraza defensiva. Pero una eventual vida en pareja hará surgir posteriormente las incompatibilidades de carácter; por ejemplo, Sagitario ama la compañía cuando está de buen humor y, cuando no lo está, sólo quiere un amigo con el fin de distraerse. Por el contrario, Capricornio es más o menos sociable cuando está de buen humor, es feliz y se encuentra a gusto cuando está solo, y no soporta la compañía de nadie si se siente humillado o colérico. Es fácil imaginar qué puede suceder cuando ambos signos conviven en la misma casa.

CAPRICORNIO – CAPRICORNIO

He aquí dos personalidades formadas en el mismo molde que se entienden sin palabrería inútil y que prefieren con mucho los actos a las palabras. La unión de ambos no resulta improbable, a pesar de que, como sucede en numerosas parejas que pertenecen al mismo signo, existe un riesgo de acumulación de valores similares y una falta de factores diferenciales que cree un efecto estimulante. La Capricornio madura precozmente y se revela

como una mujer ponderada que tiene la cabeza sobre los hombros; asume sus deberes pero está dotada de una ambición que la sitúa siempre un poco por encima de lo que se espera de ella. El joven Capricornio también es recto y juicioso, y se encamina muy pronto a conquistar la posición que considera que le corresponde. Ambos piensan en el amor en el momento conveniente, es decir, cuando no supone un obstáculo para sus planes. Es improbable que se dispersen en flirteos sin importancia, e incluso cuando se comprometen, tienen que hacerlo en un momento determinado y de un modo preestablecido. Por esta razón no aparecen dificultades especiales cuando se encuentran: el problema inicial puede residir en la similitud de proyectos o en la conciliación de las ambiciones personales que, tanto para él como para ella, ocupan el primer lugar. Superado este escollo, puede establecerse una relación seria y sólida con ritmos regulares y precisos; la pasión no se demuestra más que en la intimidad y, visto desde el exterior, nada parece afectar la tranquila imperturbabilidad de estos nativos que se dirigen juntos discretamente hacia el objetivo elegido. A menos que existan fuertes valores astrales en signos diferentes, esta relación no es ni tierna ni muy afectuosa: una vez declarados, los sentimientos son tan fiables e indestructibles como los monolitos, pero también son igual de inexpresivos. Para vivir juntos felices y durante mucho tiempo, es necesario que ambos nativos no se dejen absorber demasiado por sus deberes respectivos en detrimento del aspecto festivo, hedonista y afectuoso de su relación. Esta corre el riesgo, precisamente, de marchitarse sin que los protagonistas se den cuenta, porque están demasiado ocupados en asegurarse el futuro como para pensar en vivir el presente.

CAPRICORNIO – ACUARIO

A primera vista, parece imposible esta unión entre el libertario e inconformista Acuario y un Capricornio que es todo rigor y sentido de la responsabilidad. No obstante, la chispa surge entre ellos más a menudo de lo que cabría imaginar, y no se trata de un fuego fatuo sino de un amor destinado a perdurar. La apertura y la ausencia de inhibiciones de Acuario atraen fuertemente a Capricornio, que a menudo desea escapar de su torre de marfil, pero que no tiene valor para distanciarse de sus compromisos. Por otra parte, aunque Acuario sea utópico, su pragmatismo y su racionalismo impresionan mucho a Capricornio y borran toda sospecha de superficialidad. A su vez, la seriedad y la sobriedad de Capricornio no disgustan a Acuario, porque también detesta las nimiedades y las pérdidas de tiempo, y aprecia enormemente las personalidades profundas, decididas y poco locuaces, que prometen aportar un sólido apoyo a sus proyectos. En cuanto a Acuario, siempre dispuesto a lanzarse a empresas «magníficas e imposibles», la idea de seducir a Capricornio, de liberarlo de las cadenas del deber y de iniciarlo en el embriagador placer de la libertad le parece un hecho alentador. A menos que existan fuertes valores astrales en signos diferentes, no se tratará de un amor ciego y perturbador o de una ardiente pasión, sino más bien de una amistad fundada en la estima que evolucionará intensificándose cada vez más hasta transformarse en un sentimiento consolidado, con muchas posibilidades de perdurar si consigue superar las dificultades iniciales debidas a las respectivas diferencias. Está claro que ambos signos deberán afrontar algunos cambios; de este modo, si Capricornio no quiere ver a su Acuario desaparecer a la velocidad del rayo, no podrá permitirse tener comportamientos autoritarios o pretender que su compañero se conforme con un futuro cuidadosamente planificado. Por su parte, Acuario deberá renunciar a una parte de su despreocupación; podrá vivir como un hombre o una mujer libre, pero sin olvidar el hecho de que Capricornio exige que se ciña a unas estrictas reglas de comportamiento.

CAPRICORNIO – PISCIS

He aquí dos temperamentos muy similares que, no obstante, consiguen interaccionar. El Agua, elemento clave de Piscis, penetra en la dura y rocosa Tierra de Capricornio que, fecundada de este modo, florece y da frutos. Se trata de una metáfora de lo que sucede en la relación entre estos dos símbolos: la dulzura de Piscis debilita las defensas de Capricornio y le reconforta moralmente frente a las asperezas de la vida; no lo fuerza a abandonar su reserva, pero le invita a participar progresivamente en sus emociones, en sus secretos, hasta que Capricornio, más seguro y con las ideas más claras, no puede prescindir de su compañía. Por su parte, este tiene mucho que ofrecer: la tenacidad de su fuerte temperamento constituye un sólido apoyo para el inestable Piscis, que encuentra un efecto beneficioso. El realismo, otro valor del que carece Piscis, resulta indispensable para el éxito de esta relación, porque en el caso de que perdiese la cabeza, Capricornio sabría devolverlo a la tierra con mano firme. En el plano erótico, ambos signos también se entienden muy

bien, porque Piscis es un auténtico maestro en el arte de crear ambientes sugerentes, y su lánguido abandono sabe moderar el vigor algo expeditivo de Capricornio, aportando una nota de fantasía en los momentos de intimidad. Lógicamente, falta cierta indulgencia y capacidad de adaptación por ambas partes, porque Capricornio no deja nada al azar, acepta mal el desorden creativo de Piscis y se irrita frente a determinadas opiniones irracionales, por no decir caprichosas; por su parte, este, sin llegar a rebelarse frente al modo en que Capricornio dirige la relación, no llega a cumplir las reglas demasiado rígidas y comienza a languidecer tristemente si se siente incomprendido o ignorado por un compañero frío y distante. En el mejor de los casos, la Tierra y el Agua, la materia y el espíritu, se funden armoniosamente y dan lugar a un amor verdadero que puede durar mucho tiempo a pesar de las diferencias.

Las combinaciones del Sol y de la Luna

Sol en Capricornio – Luna en Aries

En esta combinación, el vehemente ímpetu de la Luna prevalece sobre la prudente reserva de Capricornio, y el carácter es más efusivo, impaciente y francamente valiente, pero al mismo tiempo hosco y peleón. La energía es grande, el egocentrismo y la voluntad de afirmarse son elevados. En el amor, estos individuos son más apasionados que el nativo estándar. Independiente y orgullosa, sabe ofrecer un apoyo muy sólido a su compañero pero exige el bastón de mando. Él desea tener una mujer fuerte, efusiva, espontánea y desprovista de complicaciones.

Sol en Capricornio – Luna en Tauro

Se trata de una combinación exclusivamente de Tierra, que exalta los valores materiales y la solidez de los intereses, pero que suaviza el rigor del signo con cualidades afectuosas y dulces y una sana alegría de vivir. Se observa un hedonismo sereno, el gusto por las cosas sencillas y concretas. Los sentimientos son serios, reservados y profundos; la pasión está contenida pero plena de convicción y la necesidad de contacto físico es alta. Ella, pragmática y ponderada, quiere un hombre similar. Él aspira a encontrar una mujer tranquila y sensual.

Sol en Capricornio – Luna en Géminis

Son personas más flexibles y desenvueltas que el nativo estándar, y dotadas de una mentalidad intelectual. La seriedad no está ausente, pero el temperamento es más flexible, curioso y comunicativo. En el plano sentimental, son bastante inestables, nerviosos y agitados, además de algo egocéntricos; les gusta sentirse admirados, llamar la atención, y se sienten disponibles para las aventuras. Espiritual y cerebral, ella necesita un compañero estimulante que no sea demasiado convencional. Él busca una mujer vivaz, que aporte alegría a su vida.

Sol en Capricornio – Luna en Cáncer

Su naturaleza está repleta de contradicciones, pero es más tierna y sentimental que la del nativo estándar. Se trata de individuos tímidos y retraídos, conscientes de su vulnerabilidad, lo que les conduce a ser desconfiados; no obstante, poseen una gran riqueza afectiva, que consagran a las personas a las que aman, así como a su familia, muy importante para ellos. Él desea a una mujer dulce y afectuosa, dispuesta a la mayor devoción. Ella, romántica y susceptible, digna y maternal, busca un compañero sólido que le ofrezca apoyo y seguridad.

Sol en Capricornio – Luna en Leo

Son personas enérgicas, fuertes y orgullosas, impulsadas hacia lo alto por una gran ambición. Seguros de sí mismos hasta llegar a ser arrogantes, aman el poder y quieren distinguirse, conseguir cosas importantes para ellos y para los demás. Su sentido moral es destacable y su capacidad de sacrificio por los grandes ideales es elevada; pero su temperamento tiene un cierto cariz dominante: estos nativos creen que siempre tienen razón y tienden a manifestar grandes sentimientos. A ella le gusta mostrarse y resaltar su encanto. Él aprecia a las mujeres atractivas, pero que al mismo tiempo posean un espíritu cultivado.

Sol en Capricornio – Luna en Virgo

Tienen un carácter extremadamente pragmático, realista y racional. Profesan culto a la lógica y no se fían más que de aquello que puedan tocar. Aspiran a una existencia ordenada y bien organizada; quizá son demasiado previsibles, pero saben exactamente qué quieren y cómo obtenerlo, con paciencia y precisión. Son prudentes en el plano sentimental, a la defensiva y poco espontáneos, y se centran en sus propias emociones. Tanto él como ella son serios y fiables y necesitan compañeros que les ayuden a temperar su frialdad.

Sol en Capricornio – Luna en Libra

Son personas tranquilas, agradables, más sociables que el nativo estándar pero poco calurosas, incluso formales, carentes de espontaneidad y con algunos prejuicios. Son trabajadores diligentes, y el sentido del deber, incluso social, es elevado, así como su necesidad de aprobación. En su vida en pareja, buscan un equilibrio ideal un poco frío. Él desea encontrar a una compañera elegante y que dé pruebas de buen gusto, dispuesta a aceptar la autoridad del jefe. Ponderada e imperturbable, siempre perfecta, ella coopera fielmente con quien lo merece.

Sol en Capricornio – Luna en Escorpio

Se trata de una personalidad intensa, profunda y capaz de grandes cosas, a la que no le falta fuerza de voluntad, valor, perseverancia y orgullo, y que tiende, no obstante, a imponerse sobre los demás, en ocasiones con una cierta dureza. No son demasiado extrovertidos, sino más bien misteriosos, pero poseen una gran intuición. Agresivos, cuando no totalmente despiadados, es mejor tenerlos como amigos que como enemigos. Ella no tiene miedo a dar el primer paso y sabe seducir con un encanto algo peligroso. Él busca una mujer extremadamente erótica, pero que prefiere reservar celosamente para sí.

Sol en Capricornio – Luna en Sagitario

Esta luna optimista mitiga los aspectos introvertidos del temperamento y aporta alegría de vivir, deseo de expansión y de satisfacción moral y material. Estos nativos están dotados de una madurez constructiva y respetan mucho las tradiciones; suelen alentar elevados ideales, a los que se dedican en cuerpo y alma. Sentimentalmente, son más apasionados que el nativo estándar, y aspiran a relaciones sólidas, vividas con lealtad. Ella necesita un compañero que le conceda libertad de maniobra. Él busca una mujer dinámica, ardiente y muy fiel.

Sol y Luna en Capricornio

En esta combinación, las características del signo estándar se encuentran exacerbadas; en este caso, la severidad, la introversión, la falta de efusividad y el intenso deseo de mejorar están realzados, pero todas estas características están contenidas en un espíritu retraído, desconfiado y melancólico. Estas personas lo toman todo en serio, incluso los sentimientos, pero son extremadamente prudentes en este ámbito, pues tienen miedo del rechazo y tienden a probar que saben valerse por sí mismos. Para ellos, la madurez es preferible a la juventud, y en ella llegan a mostrarse más seguros, incluso en el amor. Tanto él como ella necesitan compañeros que sean constantes y profundos.

Sol en Capricornio – Luna en Acuario

Tienen un temperamento individualista sin ser retraídos, se comportan con desenvoltura, y experimentan una viva curiosidad por los demás y por lo que es nuevo e insólito; además, un pragmatismo inteligente guía sus actos. No obstante, afectivamente son un poco tímidos, porque la razón controla los sentimientos y, en el amor, dan preferencia a la afinidad de gustos frente a los impulsos apasionados. Él aprecia a la mujer independiente y emancipada, amplia de miras. Ella, moderna y cerebral, busca un compañero tolerante que no limite su libertad.

Sol en Capricornio – Luna en Piscis

En esta combinación, el carácter se suaviza y deja paso a las emociones y a los sentimientos. El espíritu de sacrificio y el altruismo son elevados: esto puede conducir a renuncias efectuadas por idealismo o para dar preferencia a la vida interior. Existen, sin embargo, algunos nativos materialistas, que están ávidos de placeres y de certidumbre. El sentimentalismo se tiñe de romanticismo. Ella necesita a un compañero fuerte, realista y racional, pero sin aridez. Él se siente atraído por una mujer sensible, soñadora y adaptable, que satisfaga su necesidad de ternura.

ACUARIO Y EL AMOR

Características de Acuario

Periodo: del 21 de enero al 19 de febrero
Elemento: Aire
Cualidad: fijo, masculino
Planeta: Urano y Saturno
Longitud zodiacal: de 300° a 330°
Casa zodiacal: undécima
Color: azul eléctrico
Día: sábado
Piedra: granate
Metal: platino
Flor: narciso
Planta: álamo
Perfume: muguete

ELLA

La mujer que nace bajo este signo inconformista es muy independiente y juvenil; Acuario tiene ideas y maneras muy personales, a las que no renuncia por nada del mundo. Con una curiosidad desbordante, unos centros de interés y unas aficiones muy diversos, fascina por su eclecticismo y una cierta impenetrabilidad; de sonrisa amigable y desenvuelta, mantiene las distancias, siguiendo los dictados de un individualismo que no admite intrusiones en su intimidad. No es exactamente el tipo de mujer capaz de permanecer inactiva esperando a su príncipe azul, y el amor no es, en general, su principal preocupación, sino que forma parte de la gran sinfonía de la vida. Por el contrario, si le gusta un hombre, lo manifestará abiertamente, porque se trata de una mujer sincera que no se deja inhibir por las convenciones. No obstante, es necesario que este posea algunas cualidades particulares para que le agrade, porque ella se siente atraída por personas poco comunes que tengan algo original que decir y propongan proyectos entusiastas. El amor surge con frecuencia de la amistad, de compartir los mismos gustos, de ideales e intereses comunes y es raro que la pasión sea el motor de la relación; vive el sexo con gran desenvoltura pero no se deja condicionar por él. Desea establecer con su compañero una relación de respeto y de igualdad total, y no soportará durante mucho tiempo a un hombre autoritario o reaccionario, que la subestime o restrinja su libertad, incluso cuando está muy enamorada. Por el contrario, si encuentra a la persona adecuada, será de una fidelidad y coherencia absolutas.

ÉL

Al igual que la mujer, el hombre Acuario sitúa la libertad por delante de todo y, para sentirse cómodo, debe poder expresarse a su gusto, evolucionar sin trabas hasta que decida detenerse. No se trata de un hombre en busca de aventuras en el sentido tradicional del término, pero quiere probarlo todo, y esta sed de descubrimientos y novedades le impulsa a realizar placenteras escapadas. Para el hombre Acuario, la amistad es un valor más fuerte que el amor, en parte porque no quiere limitar su horizonte a una sola persona, y también porque desea dejar espacio a relaciones más igualitarias, informales y libres. Sensible e inteligente, resulta fascinante al sexo opuesto por sus modales educados y algo distantes; su secreto

consiste en saber valorar a la mujer como persona y amiga, con lo que se gana el respeto y la admiración del sexo femenino.

Sin embargo, detesta la monotonía y prefiere una ruptura clara si la relación amenaza con deslizarse hacia la banalidad y el anonimato; Acuario vive proyectándose hacia el futuro, y todo lo viejo es despiadadamente descartado. No es que sea alérgico a las relaciones estables pero, para desempeñar el papel de esposa (término que preferiría no tener que utilizar), su compañera, además de sus ideales, deberá aceptar compartir una vida en permanente evolución, abierta a sorpresas y cambios. Cuando ama verdaderamente, se muestra sincero, disponible y respetuoso con las exigencias de la persona amada; sus emociones están bastante controladas, y no es ni tierno ni expresivo.

Detesta las relaciones atormentadas, las personas celosas y las escenas melodramáticas.

CORAZÓN, UNIÓN, RUPTURA

No se pueden utilizar las tácticas tradicionales de seducción con personas tan eclécticas e imprevisibles; quizá se dejarán atraer por una aventura superficial que enriquezca su experiencia, pero es necesario actuar «a medida» para retenerlos de manera perdurable. Individualistas natos, aprecian enormemente a las personas fuera de lo común, y si eligen probablemente a su alma gemela entre su grupo de amigos, su atención se dirigirá hacia aquel o aquella que manifieste una mayor originalidad, exprese las ideas más novedosas, y tenga el modo de vida más sorprendente. Como todo no se puede fingir, es mejor no probar suerte si se posee un romanticismo algo anticuado o un materialismo ávido de posesión.

No obstante, incluso si acepta su proposición, usted deberá hacer gala de su paciencia antes de comprender si su interés corresponde a una simple amistad o si existe la posibilidad de que esta se convierta en otra cosa; intente ser usted mismo durante este periodo, demuestre que está al día y se encuentra receptivo a los problemas del mundo, que es capaz de discutir de temas variados y sobre todo haciendo gala de puntos de vista personales. Sepa que Acuario aprecia a las personas sensibles pero no irracionales, y que detesta a los individuos previsibles y triviales, así como a las personas ávidas y orgullosas. El hombre Acuario aprecia mucho a las mujeres autónomas, capaces de vivir sus ideales con coherencia, pero que también son imaginativas, incluso un poco extravagantes, ya sea en su manera de vestir, ya en su comportamiento. La mujer Acuario se siente atraída por un hombre desenvuelto, creativo y versátil, preferentemente comprometido en una batalla social o en un proyecto cultural. Sexualmente, el hombre y la mujer prefieren la fantasía más que la pasión y aborrecen las reticencias, los tormentos y los sentimientos de culpa-

bilidad. Una amistad sentimental con un Acuario puede durar mucho tiempo, porque representa para él (o ella) el modelo de pareja ideal, en el que cada uno tiene la posibilidad de expresarse a su manera sin inmiscuirse en la vida del otro. Para decidir casarse o vivir en pareja, Acuario debe estar seguro de que su libertad no se resentirá, pero también sabe sopesar las ventajas e inconvenientes de una situación dada. Si la persona amada no ejerce una presión demasiado fuerte sobre él (o ella), la valorará en tal medida que aceptará el compromiso. Una vez que haya decidido asumir su responsabilidad, será coherente con su elección, excepto si la relación se marchita y con el tiempo se convierte en monótona.

Si usted quiere dejarlo primero y desea que Acuario huya, bastará con traicionar las bases de su relación y mostrarse posesivo y celoso, hacer referencia a tópicos, entrar en casa para sentarse frente a los peores programas de la televisión basura y cerrar la puerta a sus amistades. Pero una explicación amistosa es preferible: Acuario lo comprenderá y no hará ningún drama de la ruptura.

RELACIÓN CON LOS OTROS SIGNOS

ACUARIO – ARIES

Dos individualismos se enfrentan en esta relación: el egocentrismo de Aries, siempre en liza por la supremacía, y la excentricidad de Acuario, orientado hacia el futuro. La unión de Urano, padrino de Acuario, y de Marte, protector de Aries, da lugar a una relación que se puede calificar de explosiva, y la chispa mágica se transforma en poco tiempo en un verdadero incendio amoroso. A pesar de que Acuario esté bien protegido del ardor de la pasión, se entusiasma desmesuradamente, como si acabara de hacer el descubrimiento del siglo, cuando es presa del arrebato por alguien o por algo. Por su parte, fiel a su costumbre, Aries, orgulloso de su conquista, no pierde el tiempo. De este modo comienza una historia intensa, en la que ambos nativos emplean toda su energía en una danza de iniciativas siempre renovadas. El ritmo se mantiene igualmente en la intimidad, porque el fogoso Aries no se oculta tras un falso pudor y Acuario hace subir la temperatura con sus inconformistas ocurrencias; de este modo se llega rápidamente a la incandescencia. No obstante, la rapidez con la que ambos héroes queman las emociones puede convertirse en el peor enemigo de la pareja, ya que se encuentran amenazados por el espectro de la trivialidad una vez que la tensión se relaje, como por otra parte es natural y deseable; pronto la relación no soporta el apaciguamiento y el interés disminuye su intensidad como un motor sin combustible.

El comportamiento independiente de Acuario despierta los celos de Aries, al que irrita su rechazo a toda coacción; las disputas son frecuentes y generalmente están provocadas por este último, mientras que Acuario adopta una indiferencia distante que exacerba la furia de su compañero. En suma, es necesaria una buena dosis de convicción para que esta pareja permanezca unida, pero los intereses comunes y los proyectos conjuntos pueden consolidar esta relación de manera decisiva.

ACUARIO – TAURO

La pareja que forman estos dos nativos tan diferentes es de alto riesgo. Los Tauro, terrenales y protegidos por Venus, son unos individuos indolentes y tranquilos que viven bien anclados en la realidad y cuyas ambiciones son sencillas y claras, además de materialistas; los Acuario, aéreos signos de Urano, evolucionan con gran naturalidad en el universo abstracto de las ideas y, aunque puedan llegar a soñar con los ojos abiertos, en general están absorbidos por sus numerosas ocupaciones. Estas profundas diferencias no ofrecen muchas posibilidades para que estos nativos se encuentren, pero si esto ocurriese, la atracción podría deberse precisamente a ellas; Acuario, concretamente, ama las novedades y las empresas imposibles y podría sentirse motivado por una relación con Tauro. La potente atracción sensual que ejerce este último juega a su favor, pues podría hacer vibrar al Acuario más distraído; cuando una personalidad tan racional como la suya pierde su habitual indiferencia para dejarse llevar por la pasión, quiere decir que está suficientemente enamorado como para caer en las redes de los exclusivos y afectuosos sentimientos de Tauro. El mayor obstáculo reside precisamente en el contraste entre el sentido posesivo de Tauro y el amor libre y desenfrenado de Acuario: ambos son signos fijos y testarudos, de convicciones muy firmes, y que no están dispuestos a ceder en cuestiones tan vitales para ellos. Si consiguen vivir juntos entre dos conflictos, la relación corre el riesgo de verse constantemente sembrada de escollos. Acuario podrá apreciar el sentido práctico de Tauro, pero sentirá menos entusiasmo ante la rutina plácida y confortable que este intentará imponer; los Acuario no tienen intención de quedarse en casa y vivir para la familia, y deben luchar con fuerza, cuando viven al lado de un Tauro celoso, para romper las barreras de un amor un poco asfixiante y reconquistar un espacio de libertad. En resumen, es necesario mucho amor y obstinación para seguir adelante.

ACUARIO – GÉMINIS

La relación que se instaura entre estos dos signos es muy estimulante, puesto que ambos detestan la frivolidad y el conformismo y comparten una amplia gama de intereses.

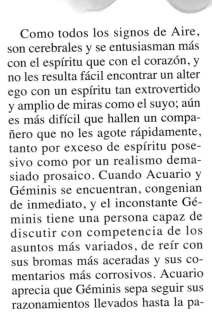

Como todos los signos de Aire, son cerebrales y se entusiasman más con el espíritu que con el corazón, y no les resulta fácil encontrar un alter ego con un espíritu tan extrovertido y amplio de miras como el suyo; aún es más difícil que hallen un compañero que no les agote rápidamente, tanto por exceso de espíritu posesivo como por un realismo demasiado prosaico. Cuando Acuario y Géminis se encuentran, congenian de inmediato, y el inconstante Géminis tiene una persona capaz de discutir con competencia de los asuntos más variados, de reír con sus bromas más aceradas y sus comentarios más corrosivos. Acuario aprecia que Géminis sepa seguir sus razonamientos llevados hasta la paradoja; no se escandaliza con sus provocaciones y acepta con alegría las sorpresas más impensables. El diálogo y el entendimiento constituyen la base de su comprensión, e incluso si estos dos inconformistas transforman con rapidez la amistad en algo más sólido, no se sienten impulsados por una irresistible pasión; esto forma parte de un juego terriblemente intrigante y placentero. Ambos son muy sociables, no se encierran en su «felicidad» y les gusta disfrutar de la compañía de sus amigos y de los de su pareja; se sienten

contentos de compartir compromisos de tipo social o cultural. Sin la presencia de fuertes valores astrales en estos signos opuestos, ambos son bastante flexibles y muestran un gran respeto por su mutua libertad, la cual consiguen preservar, incluso cuando la unión se consolida. Ocasionalmente, pueden surgir algunos problemas en la organización práctica del hogar, puesto que los dos tienen tendencia a descuidar este as-

pecto. Cuando la necesidad se deja sentir, Acuario, signo más firme y tenaz que su compañero, toma las riendas de la unión y guía al versátil Géminis por un camino coherente y unívoco.

ACUARIO – CÁNCER
Desde luego, no se trata de una unión fácil la que se establece entre dos caracteres tan diferentes y con aspiraciones tan distintas. Basta con mencionar los planetas que rigen estos dos signos: la Luna, astro protector de Cáncer, inspira una sensibilidad extrema y un egocentrismo un poco infantil, irracional y caprichoso; Urano, planeta de Acuario, encarna un espíritu decidido y pragmático, y una disponibilidad por los cambios radicales cuando la oportunidad o la necesidad se lo imponen. Es pues normal que estos dos signos no se sientan muy cómodos juntos, puesto que Cáncer intenta reafirmarse con las tradiciones y el afecto familiar, a la vez que desea construir un nido confortable que le proteja de las amenazas del mundo exterior; Acuario es una especie de «desarraigado» que muestra cierta indiferencia, incluso menosprecio, por las convenciones y que, aunque se sienta distinto a todos, va por el mundo con desenvoltura y movido por el deseo de experimentar. No es imposible que se enamoren, puesto que la ternura del frágil Cáncer puede tocar la fibra «humanitaria» de Acuario y su mágica sensualidad atraparlo en un vínculo muy afectuoso pero un poco limitado. Estos dos signos corresponden a personalidades imprevisibles,

pero la imprevisibilidad de Cáncer es estrictamente emotiva, mientras que la de Acuario es resultado de una elección muy pensada que le lleva a cambiar de camino, a menudo repentinamente.

Los cambios de humor de Cáncer resultan irritantes para Acuario, que, en el mejor de los casos, se contenta con ignorarlos; pero las vacilaciones de opinión de este también pueden desorientar a su compañero, que entonces se siente privado de apoyo y de constancia, y que percibe además a su pareja como distante y alejada, incapaz de vibrar con los mismos sentimientos que él. En resumidas cuentas, es probable que ambos se sientan insatisfechos pero, como Cáncer tiene muchas dificultades para romper un vínculo, aunque se sienta desgraciado, será Acuario el encargado de acabar con la relación definitivamente.

ACUARIO – LEO

He aquí dos signos que se sitúan en las antípodas del zodiaco y que, por este motivo, poseen cualidades y defectos que son a la vez contrarios y complementarios. La dificultad consiste en valorar las diferencias y unir dos personalidades para que se complementen en lugar de que combatan hasta quedar exhaustas. La tarea todavía resulta más espinosa cuando se trata de signos fijos como Acuario y Leo, y por tanto, extremadamente obstinados. Existe entre ellos una atracción irresistible, aunque a veces quede oculta por una excesiva antipatía motivada por algunos prejuicios recíprocos,

puesto que a Acuario le parece que Leo es un exhibicionista presuntuoso y dominante, mientras que este ve en el otro a un excéntrico con espíritu utópico y sensualidad poco ardiente. Su encuentro puede parecer un enfrentamiento pero, a medida que ambos se apasionan, existen grandes posibilidades de que la tensión alcance un nivel insostenible y sorprenda a sus sentidos, encaminándoles hacia un final de la batalla totalmente inesperado. Cuando se conocen mejor, aprenden a apreciarse mutuamente: Acuario descubre entonces que Leo, tan orgulloso y déspota, puede ser también leal y generoso; por su parte, este comprende que su inconformista pareja es capaz de grandes impulsos altruistas y de un auténtico sentimiento de amistad. Pero esto no lo resuelve todo, y las profundas incompatibilidades de carácter aflorarán a la superficie. Leo, impulsivo y apasionado, quiere con intensidad y no admite fisuras en la devoción amorosa de la pareja, mientras que Acuario, mucho más pragmático, no está dispuesto a entregar su corazón sin condiciones. Y estas no contemplan ceder ante la imperiosa voluntad de Leo, que, por su parte, tiene dificultades para controlar sus impulsos de dominación. Leo es además posesivo y no le gusta que su amado confíe demasiado en los demás, porque cree que hay que mantener las distancias. El entendimiento resulta más difícil entre un hombre Leo y una mujer Acuario, puesto que él es excesivamente autoritario para aceptar la emancipada conducta de su compañera.

ACUARIO – VIRGO

El acuerdo es problemático entre dos signos que tienen pocas cosas en común. Aire y Tierra, sus elementos respectivos, son incompatibles por naturaleza, y esto se nota en la relación entre estos dos nativos, demasiado diferentes para poder unirse de forma duradera sin que intervengan sólidos elementos astrales en los signos más favorables. El amor es un acontecimiento extraño cuando concierne a dos nativos «puros» y, en este caso, sólo existe una pequeña probabilidad de que sea duradero. Acuario y Virgo pueden llegar a atraerse con fuerza por sus cualidades intelectuales, de las que están bien dotados, aunque de manera diferente: Virgo se sumerge en el pragmatismo de los hechos, que analiza con un sentido crítico muy acerado, y los clasifica metódicamente; Acuario considera la realidad como una abstracción que mira desde lo alto y que sólo le sirve de trampolín para lanzarse a sus experiencias. La pasión de los sentidos y el flechazo no están hechos para estos dos personajes, excesivamente racionales para dejarse invadir por el sentimentalismo; cuando surge el interés, es probable que haya nacido de la curiosidad al observar a una criatura tan diferente de ellos y asociada al deseo o a un desafío intelectual. Esta es una idea ridícula que puede surgir más fácilmente de Acuario, atraído por las experiencias insólitas, mientras que al prudente Virgo se le incita a mantenerse tranquilamente apartado de una personalidad tan poco común; sin embargo, Acuario sabe ser muy persuasivo y vencer las reticencias de Virgo con proposiciones originales e inteligentes. Es en este momento, cuando la relación puede convertirse en estable, cuando aparecen las divergencias y Acuario puede pasar de ser un innovador brillante a un compañero indisciplinado, únicamente centrado en su ritmo y sus exigencias, y sin ninguna consideración por lo que siente Virgo; y este, hasta entonces un interlocutor refinado, se convierte en una compañía aburrida que puede acabar rápidamente con el poco entusiasmo que aún quedaba en esta relación.

ACUARIO – LIBRA

Se trata de una combinación prometedora, pero un poco frágil. Libra, signo de Aire igual que Acuario, es menos independiente y nada inconformista, y representa el punto de unión entre todos los hijos de Urano. Existe, sin embargo, una gran atracción entre estos nativos, que se fundamenta en el hecho de compartir sensaciones controladas por el elemento aéreo y que las sitúa un poco por encima del «materialismo terrenal». Libra admira mucho la desenvoltura y la fantasía creativa de Acuario, que, a su vez, aprecia la imperturbable serenidad y el refinamiento innato de Libra. Además, al estar inmunizados ambos contra los dramas pasionales, huyen como de la peste de cualquier síntoma de desarrollo de los mismos; razonables y poco inclinados a los tormentos sentimentales, viven el amor como un preciado bien que no debe contaminarse con emociones negativas, puesto que es un medio de crecer juntos y alcanzar la armonía espiritual, mental y corporal. El objetivo no es nada fácil, y olvidar la realidad cotidiana puede constituir un obstáculo; necesitarán, pues, unir los esfuerzos para conciliar las abstracciones del espíritu con las necesidades más prosaicas del día a día, si deciden vivir juntos. Pero esta pareja, presa de múltiples sobresaltos, corre el riesgo de enfrentarse a otro problema más serio. Libra se define como un signo «enamorado del amor», expresando así su aspiración a completarse en la unión amorosa y, por esta razón, se implica totalmente en un intento de satisfacer al máximo al ser querido. Las ideas de Acuario sobre este tema son completamente distintas, y su individualismo crónico le impide unirse en un todo con su pareja; además, el carácter imprevisible de este signo entorpece pronto el equilibrio delicado de Libra (que no está, como se cree, dotado de esta extraña cualidad, pero que intenta imponerla en cada acción y elección). Si Acuario ama de verdad a Libra, deberá infundirle seguridad constantemente y evitar que dude de su amor.

ACUARIO – ESCORPIO

El encuentro amoroso entre Acuario y Escorpio posee todas las cualidades para convertirse en una experiencia inolvidable. Los dos viven en mundos muy diferentes: el espíritu aéreo de Acuario vuela ligero hacia las altas esferas, mientras que el alma acuática y atormentada de Escorpio se sumerge en los oscuros y profundos abismos.

Sus caracteres son también muy distintos, y parece que Acuario vive en una dimensión que sólo le pertenece a él, impermeable a cualquier expresión sentimental, mientras que Escorpio oscila constantemente entre complicaciones y tormentos emocionales. Además de una gran testarudez, comparten un deseo espontáneo de experimentar, de romper las barreras del conformismo y de la frivolidad para vivir intensamente su existencia, cueste lo que cueste. No resulta sorprendente si su relación se tiñe de sombras desde el principio, ya que Escorpio intentará, con toda la violencia propia de su naturaleza visceral, superar la frialdad de Acuario para iniciarlo en el misterioso mundo de la pasión; este, fascinado por las aventuras imposibles, caminará con espíritu intrépido sobre el terreno minado de los sentimientos de Escorpio, de quien descubrirá entonces toda su fuerza. Sucede lo mismo en el ámbito del erotismo, donde Escorpio tiene mucho que ofrecer: el inconformista Acuario jamás rechaza las proposiciones, aunque sean insólitas. Pero, si las diferencias de percepción entre personalidades con la misma fuerza pueden estimular el enfrentamiento intelectual, también están en el origen de intensos contrastes en la vida de la pareja. La abierta desenvoltura de Acuario desagrada profundamente al celoso Escorpio, que ve enemigos por todos lados cuando intenta tomar el control absoluto sobre la forma de vida e incluso sobre el espíritu de su compañero, profundamente enfadado e irritado por la afrenta que esto supone para su individualismo. Se trata, en suma, de una cuestión de principios que no es fácil de resolver; y aunque los dos nativos aprendan a limar asperezas con el tiempo, su relación mantendrá siempre en su interior la semilla de la discordia.

ACUARIO – SAGITARIO

Existe una instintiva armonía entre estos dos signos. Las burbujeantes vibraciones del Aire, elemento al que pertenecen los Acuario, iluminan un nuevo día para el Fuego de Sagitario; los dos nativos se sienten felices juntos, libres de expresar los mejores aspectos de su naturaleza. La espontaneidad de la mujer Sagitario gusta mucho, ella se presenta sin frivolidades ni formalismos, desbordante de energía y de entusiasmo cuando se trata de explorar nuevos horizontes; por otro lado, la mujer Acuario aprecia la fogosidad y el dinamismo del hombre Sagitario, que, sin perder el tiempo dando vueltas a las cosas, expone los proyectos y las aventuras en los que quiere participar. En resumen, ambos se gustan inmediatamente y,

como están indecisos sobre los plazos que deben darse, queman etapas muy rápidamente y se lanzan con despreocupación a un porvenir luminoso, sin dejar nunca de aprovechar el presente. Ambos tienen muchas cosas que decirse, conocer y hacer juntos; en esta exaltación amorosa, dejan el campo libre al idealismo, que es uno de sus dones naturales, se fijan largos caminos que recorrer, objetivos lejanos que conseguir, siempre juntos, codo con codo. Es necesario comprender que no se trata de romanticismo, pues su relación se caracteriza por una camaradería y una clara paridad de derechos y deberes. En este aspecto, se puede decir que Acuario, muy liberal en lo que le concierne a él, no es tan flexible con los demás, a quienes pide que se adapten a sus excentricidades; está de suerte con los Sagitario, puesto que el optimismo y la generosidad de estos, asociados a la flexibilidad de un signo móvil, les permiten estar dispuestos a secundarlos. Así pues, aunque oficialmente la unión no parece que tenga que llevarse a cabo en un plazo breve, Acuario será el primero en dar un paso en esta dirección, tratando de retener a Sagitario y proponiéndole una vida en pareja alegre y nada convencional.

ACUARIO – CAPRICORNIO

Veamos ahora dos signos aparentemente incompatibles, pero que pueden encontrar centros de interés comunes. Efectivamente, además del electrizante Urano, el segundo padrino de Acuario es el severo Saturno, astro que rige a Capricornio. Ambos se encuentran pues en un territorio de entendimiento, compartiendo el lenguaje de la razón: la de Capricornio es pragmática, prudente y ponderada, mientras que el sentido común de Acuario es más bien creativo, osado e innovador. Ambos se ponen de acuerdo para afirmar la neta supremacía de la razón sobre la emoción y el sentimentalismo. Es extraño pues que se dé un flechazo entre ellos: se trata de un acercamiento progresivo que debe superar los prejuicios mutuos para descubrir las cualidades de cada uno y construir una relación que se fundamente en el respeto y la consideración. La mujer Acuario posee todas las cualidades requeridas para hacer retroceder a Capricornio (a menudo un poco machista) en alguna toma de posición: se trata de una persona directa, independiente pero no exhibicionista, ciertamente extravagante pero que sabe ser coherente con sus ideas; si se entrega a un Capricornio, no lo hace nunca por condescendencia o embriaguez de los sentidos, sino porque lo ha elegido libremente. El hombre Acuario seduce a la mujer Capricornio gracias a su valentía, franqueza, naturalidad, sencillez y fuerza de espíritu, la cual le permite afrontar las situaciones más imprevistas. Se trata de un hombre que se diferencia de los demás no por escalar en solitario (como Capricornio), sino por volar. Una vez que ambos se han observado y se han dado la aprobación mutua, pueden abrir la puerta a una relación consciente y seria, probablemente poco apasionada, pero que la fantasía desbordante de Acuario convierte en cautivadora, mientras que Capricornio constituirá el pilar de la organización del hogar. Sin embargo, resulta indispensable que Acuario dé un giro drástico a sus teorías sobre la libertad y que Capricornio no se imponga con demasiado rigor. Es la única manera de permitir al Aire y a la Tierra que cumplan la difícil tarea de vivir juntos con serenidad.

ACUARIO – ACUARIO

Sólo puede existir una relación fuera de lo común entre dos nativos del más excéntrico de los signos del zodiaco. Su carácter imprevisible impide realizar cualquier pronóstico; en teoría, el acuerdo debería ser perfecto, puesto que comparten una visión común de la existencia y se entusiasman con los mismos temas, pero, en la práctica, dos caracteres demasiado parecidos pueden herirse de una forma tan inesperada como radical. Es necesario reconocer que estos dos paladines de la libertad individual no son los más preparados para ceder a los demás su propio espacio, y puede surgir más de un motivo para el rencor cuando se extinga la magia del amor y sea necesario establecer derechos y deberes recíprocos. Para que este vínculo funcione correctamente, es necesario que un ideal, un objetivo o una profesión lo consoliden, pues los sentimientos no son un elemento preponderante en esta relación. Si cada uno cultiva intereses diferentes, sus caminos se separarán tarde o temprano y se dirán adiós con un saludo rápido y exento de rencor. Pero si dos Acuario comparten una «misión», pueden resistirlo todo, y suele suceder que del encuentro para una causa común nace el amor. Se trata de una relación insólita que no excluye generalmente el matrimonio y la familia precoces (para los nativos «puros» o casi); una elección de este estilo estará quizá dictada por exigencias prácticas, y no por el deseo de unirse en una relación tradicional. Aunque no les preocupe en exceso, el sexo se vivirá con gran desenvoltura, y a pesar de que ambos predican una gran libertad, esta pareja no se encuentra inmunizada contra los embates de los celos. Probablemente no montarán una escena, pero ninguno de los dos estará contento cuando descubra que ha sido engañado, no tanto en el sentido físico, sino en el concepto ideal que cada uno representaba para el otro; si el incidente se repite, las pequeñas fisuras en la transparente armonía de la pareja corren el riesgo de convertirse en grandes grietas.

ACUARIO – PISCIS

He aquí una relación de «vecindad» acompañada de un conjunto de cualidades y defectos muy diferentes que no son siempre compatibles; no obstante, esta proximidad puede hacer pensar en la presencia de algunos planetas comunes, que beneficiarán sin duda una comprensión recíproca. La relación entre dos nativos «puros», o casi, podría definirse como un sueño de resultado incierto: ambos tienden a eludir las fronteras de la realidad, si bien de manera diferente, y pueden pensar que han encontrado un compañero ideal en el momento en que se conocen. En el interior del enrarecido Aire de Acuario, el atormentado Piscis se sentirá más cerca del infinito, liberado de las cadenas de la materia e incitado a expresarse libremente, sin miedo a quedar aprisionado en los insidiosos lazos de la costumbre.

Por su parte, Acuario considera a Piscis una criatura mágica, capaz de hacer vibrar las cuerdas más finas de su corazón y de sus sentidos, y que no es en absoluto insensible a sus demandas sociohumanitarias (si bien Piscis está mucho más inclinado que Acuario a dejarse implicar personalmente, y este último se encuentra más alejado de sus «protegidos» en el plano afectivo).

Su amor es muy poético y sugerente durante los primeros tiempos, cuando los nativos pueden sentirse transportados a otra dimensión, en la que no existen ni las convenciones ni la rutina. Pero, tarde o temprano, tienen que volver de nuevo a la realidad, y afrontar claramente el hecho de que el ser amado no está exento de defectos. Piscis se queja de la frialdad de Acuario, que no le ofrece todo el cariño que desea, y de aquí la sensación de sentirse abandonado; por su parte, Acuario comienza a sentirse atado por la evanescente ternura de Piscis, amenaza potencial para su libertad.

La relación puede durar si se trata de dos nativos del zodiaco de espíritu abierto, capaces de alcanzar un buen equilibrio espiritual; pero si Piscis se hunde en una ambigüedad caótica y Acuario toma posiciones intransigentes, la relación se encaminará rápidamente hacia un fin poco glorioso.

Las combinaciones del Sol y de la Luna

Sol en Acuario – Luna en Aries

Son de temperamento emprendedor, rebelde y algo extremista, e inclinados a dejarse arrastrar por el entusiasmo, a llevar a cabo iniciativas audaces, pero demasiado idealistas y precipitadas. Su tendencia a la diferencia se expresa a menudo en el deseo de prevalecer sobre los demás y dirigirlos. Sinceros, extrovertidos e intransigentes, suelen ser impulsivos en el amor y ceden fácilmente ante el flechazo. Él desea a una mujer dinámica e independiente, a quien otorgará mucha libertad. Ella es una combativa contestataria.

Sol en Acuario – Luna en Tauro

La Luna «terrestre» confiere bases sólidas al idealismo de Acuario y lo convierte en un individuo más pragmático, capaz de construir y no de contentarse con teorizar. El espíritu y la materia cohabitan creando algunas contradicciones y producen un carácter obstinado pero tranquilo, al que no le gustan demasiado los cambios pero que es capaz de mostrar gran gentileza y afecto. Ella es desenvuelta, pero muy sensual, bien equilibrada entre la autonomía y la devoción amorosa. Él busca a una mujer dotada de sentido práctico y poco complicada.

Sol en Acuario – Luna en Géminis

Muy sociables, extrovertidos, eclécticos y dotados de buenas cualidades intelectuales, estos nativos poseen una intensa curiosidad y una insaciable sed de experiencias. Simpáticos, divertidos y siempre rodeados de amigos, carecen no obstante de auténtica calidez y se arriesgan a mantener relaciones superficiales con su entorno. En el amor, son imprevisibles, detestan la trivialidad y el aburrimiento, y por esta razón cambian a menudo de dirección, por lo que les resulta difícil efectuar una elección definitiva. Tanto él como ella necesitan relaciones flexibles y no convencionales.

Sol en Acuario – Luna en Cáncer

La fantasía pasa a primer plano en estas personas, mucho menos conformistas que el nativo estándar y aún más apartadas del sentido común. En ellos, la necesidad de proteger y de ser protegidos es intensa, y el gusto por la vida familiar es muy pronunciado, pero un ápice de indolencia limita su iniciativa. Tienen una gran sensibilidad sentimental y afectiva que les impulsa a preferir relaciones tradicionales en las que prevalezca la emoción. Él busca una compañera afectuosa y maternal. Ella aspira a encontrar a un hombre sensible y tierno que sea capaz de materializar sus sueños.

Sol en Acuario – Luna en Leo

He aquí una naturaleza expansiva y generosa, en la que el idealismo se expresa enérgicamente. Son nativos caracterizados por un fuerte deseo de destacar y de tener éxito y consideración. Orgullosos y seguros de sí mismos, más bien obstinados e intransigentes, tienen inclinación a dirigir cualquier situación. En el amor, son más vehementes y apasionados que el nativo estándar, pero no carecen de pretensiones, porque ambos desean un compañero prestigioso y diferente de los demás. Ella es ambiciosa y busca a un hombre fuera de lo común pero dispuesto a dejarse dirigir. Él desea a una mujer vistosa, autoritaria y solar.

Sol en Acuario – Luna en Virgo

Es una asociación plenamente cerebral que acentúa las cualidades racionales y da lugar a un carácter bastante frío, pragmático y distante. Los objetivos son moderados, pero tienen una gran habilidad técnica para llevarlos a cabo y un alto sentido de la responsabilidad. El miedo y la incertidumbre bloquean en cierta medida la desenvoltura de Acuario, pero siguen siendo individuos fiables. Inclinados a diseccionar los sentimientos, no se dan fácilmente, y tanto al hombre como a la mujer les convienen compañeros bien dotados intelectualmente y poco apasionados.

Sol en Acuario – Luna en Libra

Es una pareja de Aire que exalta los valores de la comunicación, de la sociabilidad y de la flexibilidad. Son personas atractivas, capaces de introducirse sin problemas en cualquier entorno, en su permanente búsqueda de armonía y de amabilidad. Diplomáticos, albergan un sincero interés por los demás a pesar de que poseen un carácter intelectual y algo frío. En el amor, colaboran siempre manteniéndose independientes. Refinada y delicada, ella necesita a un compañero desprovisto de vulgaridad y que la respete sinceramente. Él desea a una mujer elegante que tenga buen gusto.

Sol en Acuario – Luna en Escorpio

He aquí una personalidad atormentada, rebelde, contradictoria, capaz de ayudar a su prójimo con dedicación pero también de manipularlo en su provecho. Intransigentes, bruscos, orgullosos, estos nativos viven cada experiencia profundamente y no lamentan suscitar discordias únicamente para reafirmar su punto de vista. En el amor, se sienten atraídos por las situaciones difíciles. Él se deja seducir por el encanto de la mujer fatal que le hace experimentar el tormento y el éxtasis. Ella es magnética, instintiva, a la vez que santa y hechicera.

Sol en Acuario – Luna en Sagitario

En esta combinación, la Luna ayuda a Acuario a superar el desinterés, y da calor e impulso a un temperamento que deviene agradablemente comunicativo y cordial. Extrovertidos y simpáticos, son nativos entusiasmados por la aventura. Dotados de un elevado sentido moral, se complacen en hacer el bien personalmente y a consagrarse a todas las causas sociales. En el amor, están movidos por un gran idealismo y buscan un compañero libre y tan abierto como ellos. La fidelidad no es un valor absoluto ni para él, líder exuberante, ni para ella, espontánea y emancipada.

Sol en Acuario – Luna en Capricornio

Es una combinación que exacerba los aspectos fríos del carácter de Acuario, pero mejora la relación con la realidad, que a partir de entonces se afronta con un cierto sentido de la responsabilidad. La fantasía disminuye, en beneficio de pensamientos más profundos. Menos sociables y más ambiciosos que el nativo estándar, son muy independientes y bastante solitarios, y más bien áridos en el amor. Ella es reservada, independiente y se siente poco atraída por el papel de madre. Tanto él como ella buscan una relación basada en la estima, el respeto y la amistad.

Sol y Luna en Acuario

He aquí una personalidad excéntrica, en la que las características del signo se ven realzadas, que sigue su propia inspiración; imprevisibles e incluso extravagantes, estas personas siempre buscan lo novedoso y tienden a menudo a ignorar la realidad, ensimismadas en sus ideas abstractas. De mentalidad abierta, cultivan la amistad con fervor, pero les resulta difícil iniciar una relación amorosa. Poco emotivos y apasionados, tanto él como ella desean una relación basada en gustos compartidos que les permita la máxima libertad.

Sol en Acuario – Luna en Piscis

Esta combinación acentúa la sensibilidad y la fantasía, así como la inconstancia y la falta de realismo. Son personas que mantienen grandes ideales y desean ayudar al prójimo, pero con frecuencia están mal preparadas para afrontar la cruda realidad, y la vivacidad de su imaginación les impide llevar a cabo acciones concretas. En el amor, son románticos, tienden a idealizar al ser amado, pero quizá se sienten más a gusto con las relaciones amistosas. Él se siente atraído por las mujeres frágiles y evanescentes. Ella necesita a un compañero que la apoye.

PISCIS Y EL AMOR

Características de Piscis

Periodo: del 20 de febrero al 20 de marzo
Elemento: Agua
Cualidad: móvil, femenino
Planeta: Neptuno y Júpiter
Longitud zodiacal: de 330° a 360°
Casa zodiacal: duodécima
Color: azul y violeta
Día: jueves
Piedra: aguamarina
Metal: oro blanco
Flor: lirio
Planta: higuera
Perfume: mirra

ELLA

Ella es una criatura extremadamente sensible, a menudo etérea, cuya soñadora mirada le concede una apariencia evanescente. Dotada de una gran receptividad, su toma de contacto con la realidad y con los demás está regida por las emociones y guiada por una formidable intuición. Sin embargo, también es una persona excesivamente caprichosa, lunática e irracional. En efecto, prefiere la fantasía a la realidad, en especial cuando esta es dura y negativa; tiende a huir instintivamente de las situaciones difíciles y conflictivas, pero ofrece a quien necesite ayuda la gran cantidad de amor de que dispone. Tanto en el plano sentimental como en la vida, resulta inevitable que sufra algunas desilusiones porque tiende a idealizarlo todo y a confundir sus deseos con la realidad. Para ella, los sentimientos se manifiestan bajo la forma de una comunión total con su compañero, y necesita ser amada de manera absoluta, sentirse segura mediante gestos inequívocos, y recibir ternura y numerosas atenciones. Es presa frecuente de angustias injustificadas y experimenta ansiedad por las personas a las que ama, pues tiene la impresión de que estas no pueden pasar sin ella. Es un espíritu romántico, con matices dramáticos que la arrastran a menudo a sufrir por amor, y llora con frecuencia de dolor, pero también de alegría. Se observa en ella una gran carga de sensualidad (dominante en algunos nativos) que la impulsa a sublimar el sexo cuando ama realmente. La inestabilidad del signo puede conducirla a frecuentes cambios de dirección, especialmente cuando descubre la auténtica identidad del compañero que había idealizado antes o cuando la rueda del destino la impulsa hacia otro lado.

ÉL

Es un hombre con múltiples facetas: sensual y simpático, melancólico y decadente. Es difícil de aprehender porque cambia constantemente, y escapa a cualquier definición o criterio precisos. Sin duda está dotado de un gran encanto, no es machista y gusta por su ternura, su amabilidad y su capacidad para emocionar con una simple mirada. Vive dividido entre la fantasía y la realidad, dudando sobre el camino que debe seguir; tiende a hacer caso a su intuición y a adaptarse a las circunstancias hasta que su instinto le sugiere huir cuando la situación se hace insostenible. En el amor, se ofrece dulcemente y seduce dejándose conquistar, dando la impresión de que se puede contar siempre con él; al igual que la mujer Piscis, tiende a idealizar a la persona amada, y desaparece dejando a su compañera perpleja y desamparada cuando descubre que se ha equivocado. Todo esto le confiere una reputación de ambigüedad algo misteriosa, real hasta cierto punto porque, cuando ve las cosas claras, el hombre Piscis se libra de su comportamiento equívoco y se convierte en un compañero extremadamente generoso e indulgente, casi siempre desprovisto de desagradable autoritarismo, capaz de comprender profundamente a la mujer amada y alcanzar la unión ideal de almas y cuerpos. La sensualidad del hombre Piscis, como la de la mujer, es dulce y voluptuosa, poética pero con algunos matices inquietantes. Para que todo vaya bien, necesita una compañera comprensiva pero firme, que le ame sin manifestar dudas.

CORAZÓN, UNIÓN, RUPTURA

Ni hombres ni mujeres destacan por su espíritu de iniciativa y tampoco se lanzan decididamente a la seducción: su encanto reside en las miradas lánguidas, los gestos tiernos y la sonrisa apenas insinuada cuando sus ojos se encuentran con los de quien le turba. Se sienten atraídos por personas tan sensibles y románticas como ellos y detestan a los individuos muy ruidosos, agresivos y nerviosos. Para seducirlos, es necesario dar prueba de una debilidad que les conmueva y despierte en ellos el deseo de ayudar; puede tratarse de la manifestación de sufrimiento por un amor perdido, o el desánimo ocasionado por un desengaño existencial más o menos grave. Tampoco son insensibles a la llamada de los sentidos, siempre que exista un conflicto sentimental insufrible. Son muy receptivos y no tienen dificultades para comprender los sentimientos ajenos, y lograrán su amor si consiguen dar de sí mismos una imagen que se corresponda con sus deseos. Pero si la conquista puede parecer fácil, no sucede lo mismo con la vida en pareja. La maravillosa historia de amor puede durar toda la vida, pero también acabar rápidamente: esto dependerá de usted, pero sobre todo de él (o ella). No resulta extraño que Piscis se sienta profundamente decepcionado al descubrir que usted no se corresponde con la imagen que se había hecho y que desaparezca sin avisar; es una persona difícil de comprender, y si no llega a establecerse una corriente instintiva de comprensión con la persona amada, se sentirá infeliz, extraño, incapaz de alcanzar la dicha. Su idealismo le hace desear una relación total que conserve su aura mágica incluso en la rutina diaria; si falta esta íntima emoción, significa que la relación no funciona. Pero si se desarrolla bien, Piscis es capaz de dar amor sin límite, de entregar cuerpo y alma al ser amado, y sin desear imponerse sobre él: tiende más bien a colaborar con buena voluntad y a sacrificarse si hace falta; pero se arriesga entonces a someterse demasiado, a sufrir frente a personalidades más fuertes que la suya, y a asumir un comportamiento pasivo y algo masoquista. Poco dotado desde el punto de vista práctico, necesita un compañero que sepa organizar la vida en pareja e impedir que su desorden crónico se transforme en caos. Más bien ansioso, necesita una seguridad constante, y rodearse de una atmósfera tranquila y relajada; puede llegar a adaptarse a personas posesivas y despóticas pero, si le falta motivación, no tendrá ningún escrúpulo en traicionarlas antes de desaparecer. En efecto, no se trata de uno de los signos más fieles, excepto cuando se enamora incondicionalmente.

¿Y si usted desea dar por concluida la relación? Es indispensable la mayor claridad, porque si no está de acuerdo con usted, Piscis pensará que lo ha comprendido mal. Pero si usted se comporta de manera brusca e incorrecta, si desdeña su dulzura y sus sacrificios, le abrirá la puerta de salida.

RELACIÓN
CON LOS OTROS SIGNOS

PISCIS – ARIES

El último y el primer signo se suceden en la rueda del zodiaco: por tanto son «vecinos» y suelen compartir algún planeta común, lo que favorece una comprensión que, con frecuencia, resulta problemática. El Fuego de Aries arde con ímpetu y vigor, pero el tierno y sensible Piscis encuentra sus aproximaciones desagradablemente precipitadas y las considera carentes de tacto y finura. El dinamismo de Aries se expresa en la acción, en un universo de certidumbres en el que todo es blanco o negro, donde los problemas se afrontan de cara y se resuelven sobre la marcha; por el contrario, Piscis fluctúa en un mundo líquido lleno de vagas posibilidades, que generalmente le permiten no tener que elegir, prefiriendo dejarse transportar con un cierto fatalismo por los acontecimientos. Por tanto, su visión de la vida es muy diferente y refleja unos caracteres completamente distintos. En el mejor de los casos, puede aparecer la química y ambos nativos se entregarán mutuamente aquello que les falta; de este modo Piscis podría aprender a ser más firme y confiar en la audacia de Aries en los momentos más difíciles, mientras que este podría aplacar algo su ímpetu y pulir algunos aspectos agresivos de su temperamento. Una aventura puede resultar apasionante, pero si una relación duradera llega a tomar forma, las divergencias pueden ser irremediables. El núcleo del problema reside en el hecho de que la sensibilidad de Aries no es lo bastante fina como para armonizar con la delicada emotividad de Piscis y, aunque se amen, seguirán siendo demasiado extraños el uno para el otro; si bien esto le importa poco a Aries (que incluso puede no darse cuenta, especialmente si se trata de un hombre), es uno de los motivos que más hacen sufrir a Piscis, porque desearían unirse íntegramente con la persona amada. Si Aries no tiene algún planeta en signos de Agua para ayudarle en esta difícil tarea, Piscis acabará por decepcionarse y amargarse, y buscará la dulzura en brazos de algún otro, a condición, claro, de que Aries no haya agotado su escasa paciencia y se haya marchado sin más contemplaciones.

PISCIS – TAURO

Se trata de una pareja que tiene muy buenas posibilidades, pero los dos miembros deben esforzarse para alcanzar una unión estable. Los planetas regentes de Piscis (Júpiter y Neptuno) y Tauro (Venus) tienen buenas vibraciones recíprocas, lo que favorece sin duda la armonía general, porque ambos signos son de naturaleza apacible y algo indolente; intentan evitar los conflictos y la competitividad, y gustan de las cosas hermosas y el confort. Hedonistas convencidos, coinciden también en el terreno sensual, aunque es algo que no les hace falta. Les encanta abandonarse a los placeres sensuales y la atracción erótica es el detonante del abrazo amoroso, que los mantendrá unidos cuando formen una pareja estable. En cambio, su actitud con respecto a la vida los divide, porque Tauro es realista y no pierde el tiempo soñando despierto: se marca unos objetivos precisos que consigue alcanzar gracias a un trabajo constante; mientras que Piscis se siente incómodo con las mezquindades del mundo real y se permite viajes oníricos más o menos lejanos para soportar el estrés. Al principio, puede ver en Tauro a la persona ideal que resolverá sus problemas de contacto con la realidad, y a quien podrá delegar todas las tareas prácticas; Tauro también puede aceptar esta carga y recibir a cambio el generoso amor de Piscis, que sabe colaborar perfectamente cuando quiere. Si la unión se estabiliza, existe el riesgo de que, tarde o temprano, Piscis se sienta aprisionado en las fronteras bien delimitadas del agradable pero ansioso universo de Tauro, una sensación realzada por unos obstinados celos que nublan su entendimiento ante la menor sospecha. Por su parte, Tauro, afectuoso pero demasiado hogareño, no comprende la ansiedad y el tormento que sufre Piscis a causa de su delicada

sensibilidad, que soporta mal no experimentar emociones con su compañero. Esta ausencia de armonía es bastante probable si la influencia de Neptuno prevalece en Piscis, porque entonces será desordenado o tendrá exigencias espirituales demasiado elevadas para entenderse con el prosaico Tauro.

PISCIS – GÉMINIS
El Agua (Piscis) y el Aire (Géminis) son elementos poco compatibles, aún menos cuando se trata de dos signos móviles que necesitarían sólidos apoyos y que, una vez unidos, no pueden sino acentuar su recíproca inestabilidad. Al principio, puede existir una cierta atracción entre estos dos innovadores que huyen de los roles preestablecidos, y los desafíos dialécticos pueden resultar notablemente atractivos convirtiéndose en un juego de seducción, o en una efímera aventura que ofrece una gran variedad de emociones. Sin embargo, las di-

vergencias de temperamento son demasiado numerosas y profundas para apuntalar una relación estable, y el lánguido sentimentalismo de Piscis se sentirá decepcionado por la superficialidad de Géminis, que está poco inclinado al idealismo sentimental y se muestra reticente a dejarse arrastrar afectivamente. Por su parte, Géminis no soporta sentirse demasiado atado, aunque sea por una comunión extática de cuerpo y espíritu, y aún más, el exceso de emoción le molesta y no se resiste a desdramatizar los momentos de mayor carga emotiva mediante algún sarcasmo.

Piscis encuentra de este modo numerosas razones para dar curso libre a la expresión de su sufrimiento, lo que irrita a Géminis, que, en vez de conmoverse, es suficientemente insensible como para burlarse. Este último no está nada dispuesto a conceder la estabilidad y el afecto que necesita su compañero, y su inconstancia es tal que su disponibilidad depende del humor del momento. No obstante, Piscis también es muy variable y, cuando está algo deprimido, se refugia en un mundo onírico evitando enfrentamientos críticos que probablemente podrían aclarar las cosas. En este continuo vaivén, resulta fácil perder el sentido de la orientación y ceder a escapadas más o menos definitivas; ninguno de los dos destaca por su fidelidad y, si Géminis traiciona por juego, Piscis está más inclinado a dejarse atraer por un nuevo amor si el que está viviendo no le satisface plenamente.

PISCIS – CÁNCER

Existe una corriente instintiva de comprensión entre estos dos signos de Agua que puede conducirles a un auténtico éxtasis amoroso. Ambos viven en un universo similar, fantástico y onírico, donde se protegen de la áspera realidad y se entusiasman con las emociones conmovedoras. Así es como se encuentran, gracias a la delicada sensibilidad afectiva que los une en un sugerente abrazo y los impulsa a una relación profunda, visceral y absoluta. Aunque ambos son lunáticos y caprichosos, se comprenden sin dificultad, guiados por un extraordinario sexto sentido que les permite comunicarse casi por telepatía; saben adivinar sus necesidades recíprocas, fundiéndose en una simbiosis perfecta e intercambiando mucho amor, ternura y mimos. La llamada de los sentidos desempeña un papel importante en esta mágica relación, y ambos nativos se abandonan con una indudable complacencia, una fantasía poética, y hallan en la unión de los cuerpos el complemento ideal de la comunión de las almas. Para el hombre Cáncer, siempre en busca de una figura maternal que le apoye y le cure las heridas infligidas por el mundo exterior, la mujer Piscis aparece como ideal con su ilimitada capacidad de devoción; por otra parte, esta necesita ser imprescindible para alguien y no pide otra cosa que consagrarse a un hombre tan tierno y sensible como Cáncer, capaz de escuchar sus angustias y compartir sus sueños más secretos. El hombre Piscis, inestable, encuentra en la mujer Cáncer una compañera capaz de calmar sus inquietudes, de ofrecerle un puerto acogedor y seguro cuando se desencadenen las tormentas emotivas y existenciales, un lugar del que no querrá huir porque en él encontrará todo lo que necesita. No obstante, ambos nativos pueden tener problemas, ya sea porque se identifican en exceso el uno con el otro, ya sea porque experimentan dificultades para abordar las tareas prácticas. Pero estos problemas no son lo bastante graves como para representar una amenaza para su amor.

PISCIS – LEO

He aquí dos signos que tienen muy pocas cosas en común, por no decir nada; por tanto, se trata de una pareja tan rara como un perro verde, excepto si uno de los miembros (o ambos) tiene (o tienen) planetas importantes en los signos más conciliadores. Es cierto que puede ocurrir que el hombre Leo quede prendado del dulce y sensual encanto de la mujer Piscis, y que esta última se deje cegar por los apasionados impulsos de este hombre, pensando que ha encontrado un apoyo luminoso; por otro lado, la mujer Leo puede dejarse deslumbrar asimismo por las sugerentes miradas del hombre Piscis, que despiertan en ella el deseo de tener la exclusiva. Una relación efímera será brillante e incluso apasionada, llena de teatralidad y melodrama, pero algo serio es otra cosa y pronto se pondrá de relieve la incompatibilidad de sus temperamentos. Leo ama las apariencias, mostrarse en público, e incluso los individuos espiritualmente más evolucionados, portadores de nobles ideales y de espléndida generosidad, son bastante impermeables a las evocaciones ambiguas del infinito; también consideran que el comportamiento huidizo de Piscis es irritante, y no llegan a confiar plenamente en él. Superada la embriaguez inicial, este se siente a disgusto con una personalidad tan extrovertida y orgullosa, incapaz de armonizar con sus delicadas emociones y de comprender sus inquietudes existenciales, pero que hará todo lo posible para afrontar de la mejor manera las potenciales adversidades materiales, o ejercer una función protectora sobre Piscis. Este último no podrá sino reconocérselo, y se esforzará por adaptarse durante algún tiempo, sin poner en duda el papel dirigente de Leo (que, por otra parte, le deja poco espacio); pero tarde o temprano, él (o ella) comenzará a experimentar una sensación de inutilidad, y se sentirá incomprendido e infeliz. Y un Piscis infeliz se convierte fácilmente en infiel, primero con la imaginación, después en la práctica. Y la infidelidad es algo que Leo, incluso el más magnánimo, no perdona nunca.

PISCIS – VIRGO

En todas las parejas de signos opuestos se pone de manifiesto un mecanismo de atracción y repulsión; en el mejor de los casos, da lugar a relaciones especiales fundadas en una complementariedad perfecta, pero con más frecuencia conduce al rápido naufragio de la relación. Piscis y Virgo no son una excepción. De acuerdo con este principio, es muy normal que ambos no sientan gran simpatía recíproca: Virgo, racional y controlado, considera que Piscis es un soñador lunático, y este cree que su compañero es seco y calculador, incapaz de la más mínima fantasía. A menudo, todo se detiene aquí y no supone ningún problema. Pero si ambos signos consiguen superar sus prejuicios, podrían descubrir que cada uno posee tesoros ocultos: de este modo, las innegables cualidades prácticas de Virgo pueden resultar muy útiles a Piscis, que con frecuencia carece de ellas, y su espíritu lúcido y analítico le ayudará a controlar sus emociones, a encontrar el sentido lógico de su existencia; por su parte, la dulce ternura de Piscis podría incitar a Virgo a abandonarse, a superar sus reticencias e implicarse en el plano sentimental y sensual. Sin embargo, estas cualidades tienen un precio que ambos han de estar dispuestos a pagar. En la práctica, Virgo deberá decir adiós a su exigencia de orden; en el terreno emocional, tendrá que asumir los cambios de humor de Piscis, quien, además de sumergirlo en un mundo irracional e inquietante, no le ofrece las garantías a las que tanto aspira. Por su parte, este no se sentirá comprendido al 100 % por un compañero tan poco inclinado a los ideales absolutos y tan dispuesto a condenar sin piedad todo comportamiento ilógico y caprichoso. Si algo no funciona, Piscis tendrá tendencia a eludir el problema organizando una retirada estratégica pero, al hacerlo, irritará a Virgo, que siempre necesita controlar la situación para sentirse seguro. Las acerbas críticas de este último serán inevitables, pero resultarán muy dolorosas para el susceptible Piscis. De este modo es difícil que llegue a producirse la química entre elementos contrarios.

PISCIS – LIBRA

A primera vista, ambos parecen capaces de entenderse, pero en realidad existe poca afinidad entre el Agua de Piscis y el Aire de Libra, y una estrecha relación pondrá en evidencia toda una serie de discordancias. Libra, enamorado del amor y dispuesto a dar mucho a aquel (o aquella) que se beneficie de su cariño, es ante todo una persona racional a la que le disgusta dejarse arrastrar por las olas del sentimentalismo y la pasión; en búsqueda permanente de un equilibrio ideal, intenta evitar los excesos. Pero Piscis, por su parte, se abandona completamente sobre esas mismas olas que cabalga con la habilidad de un surfista, aun a riesgo de resultar engullido en un remolino de angustias, dudas y sufrimiento. Esta considerable diferencia de carácter y manera de ser puede pasar desapercibida, y Piscis está muy dotado para crear un clima suave y sugerente cuando desea conquistar a alguien.

Libra creerá que el amor de Piscis se manifiesta siempre de este modo, como un cuento de hadas que inevitablemente tiene un final feliz; por su parte, Piscis pensará que Libra es una criatura amable y conciliadora dispuesta a secundar todas sus demandas. Pero al pasar del sueño a la realidad, ambos nativos descubrirán aspectos menos agradables del otro. La imaginación desbordante de Piscis, maravillosa cuando se trata de crear atmósferas mágicas y seductoras, se convierte en una pesada carga durante la vida cotidiana de Libra, pues nunca sabe qué puede esperar de un compañero tan imprevisible que llega a ser inquietante. La serena imperturbabilidad de Libra, que complace tanto a Piscis cuando no cuestiona sus caprichos, acaba por decepcionarle cuando se transforma en un frío distanciamiento; este también se siente de la misma manera por la negativa de Libra a dejarse atrapar en la espiral de sus angustias, y puede llegar a rechazarlo sexualmente si cree que el desacuerdo entre ambos es importante. En resumen, una unión entre dos nativos «puros»

es casi imposible, y resulta imprescindible que uno de los dos, o ambos, tenga (o tengan) elementos astrales en los signos más favorables.

PISCIS – ESCORPIO

El acuerdo es instintivo entre estos dos signos «acuáticos», y la atracción natural es irresistible: impulsados el uno hacia el otro, se unen en una relación mágica y venenosa a la vez, que puede transformarse en su razón de vivir. Enfrentado a un Escorpio «puro» o casi, nada es fácil en ninguna ocasión, pero las antenas de Piscis le ayudan a no perder la orientación en el misterioso universo de su compañero: se aventura en él con una alegre despreocupación, y mueve todas las piezas capaces de hacer capitular al Escorpio más exigente, gracias al dualismo entre su inocencia espiritual y su desbordante sensualidad. Por su parte, Piscis se deja apresar por el magnético encanto de Escorpio, que promete arrastrarlo hacia un violento torbellino de emociones sentimentales y, fundamentalmente eróticas. Y, efectivamente, el erotismo es un elemento dominante en el acuerdo de esta pareja, la expresión suprema de un profundo vínculo, intemporal, que une a ambos nativos; pero el erotismo también puede transformarse en instrumento de poder o de chantaje psicológico, unos factores que casi siempre se encuentran presentes cuando interviene un Escorpio. Se trata, pues, de una pareja que es presa constante de violentas fluctuaciones sentimentales, que pueden ir del éxtasis paradisiaco a los tormentos más violentos; estos cambios se encuentran evidentemente orquestados por el despótico Escorpio, que se alegra de empujar cada vez más lejos al inconstante Piscis, en una alternancia peligrosa de emociones y estados de ánimo.

Es necesario reconocer que la vena masoquista de la mayor parte de los Piscis les incita a complacerse en cualquier dolor, especialmente si tiene su origen en el amor, y su gran capacidad de devoción limita frecuentemente con el sacrificio; entonces, dan lo mejor de sí mismos cuando tienen la impresión de ser únicos e indispensables para el ser amado. Y el Escorpio enamorado es capaz de transmitir esta sensación. Una relación tan intensa y fuera de lo común requiere, no obstante, un gran compromiso y puede resultar agotadora, pero vale la pena vivirla plenamente, porque será imposible de olvidar aunque llegue a su fin.

PISCIS – SAGITARIO

Aunque pertenezcan a mundos muy diferentes, el acuático Piscis y el ardiente Sagitario tienen numerosas cosas en común capaces de impulsarlos a los brazos del otro. Ambos son idealistas y se enardecen por causas sociales o humanitarias, especialmente cuando son jóvenes. Les encanta teñir sus amplios horizontes con una tonalidad aventurera, si bien Sagitario lo hace de manera más puntillosa, seleccionando objetivos siempre nuevos, mientras que Piscis sigue la corriente con un cierto fatalismo y se deja implicar sentimentalmente más que ningún otro signo. Ambos poseen personalidades generosas que se ofrecen con confianza, cuando no con ingenuidad. Por tanto, es muy probable que el amor los exalte y les empuje a descubrir un universo desconocido, que las diferencias entre la delicada sensibilidad de Piscis y la impulsiva alegría de Sagitario hagan más placenteras las justas amorosas y más entusiasta el flechazo. Pero la continuación de la relación amenaza con desmentir estas eufóricas premisas. Ambos nativos tienen gustos y ritmos vitales completamente diferentes: la perezosa languidez de Piscis resulta extraña al enérgico Sagitario, que acaba manifestando su aburrimiento al cabo de un tiempo; Piscis considera penoso y desagradable el impetuoso dinamismo del centauro, porque este ruidoso y extrovertido compañero le perturba en sus «meditaciones», y tiende a quemar etapas cada vez más rápido, incluso en la intimidad, privándole de este modo de placeres más delicados y sensaciones conmovedoras. Al ser ambos inconstantes por naturaleza, no resulta extraño que abandonen frente a la primera dificultad diciendo que no hay forma de mantener la relación. Por el contrario, si insisten, deberán tener en cuenta el desorden, un defecto que ambos comparten, que amenaza con sumir en el caos (organizativo y sobre todo financiero) una posible alianza matrimonial.

La presencia de elementos astrales en signos diferentes es casi imprescindible si se desea que el vínculo arraigue y se consolide.

PISCIS – CAPRICORNIO

A primera vista, puede pensarse que la unión de estos dos temperamentos completamente diferentes resulta improbable, pero ambos signos tienen mucho que intercambiar y pueden dar lugar a una alianza sólida y bien cimentada. Capricornio, regido por Saturno, oculta sus emociones y sus sentimientos tras una coraza defensiva por miedo a mostrarse débil y vulnerable. Pero, gracias a su sexto sentido, Piscis sabe adivinar las riquezas ocultas en el huraño saturniano, así como los miedos que frenan su efusividad. El hombre Piscis está muy dotado para perturbar sentimentalmente la reserva de la mujer Capricornio, sin amenazar con invadir su universo o atentar contra su autonomía, sino haciéndole comprender que él, titubeante y perdido, necesita sus eficaces consejos. La mujer Piscis, muy dulce y sumisa, es perfecta para suavizar la rudeza del hombre Capricornio: no le agrede con comportamientos provocadores, sino que acepta de manera más bien complaciente sus rasgos autoritarios, lo que no hace disminuir su encanto;

no intenta romper su silencio, sino que lo aprovecha para dirigirle algunas miradas lánguidas y seductoras con el fin de ejercer una misteriosa atracción sobre él.

Generalmente, la historia de amor responde plenamente a las expectativas de cada uno y tiene muchas probabilidades de convertirse en una relación feliz y duradera, aunque sea necesario un esfuerzo de adaptación para que la fantasía conviva con la lógica, la espiritualidad con el materialismo y la improvisación con la planificación. No obstante, la tarea no resulta imposible. Si ambos nativos son personas con un elevado potencial espiritual, su alianza puede llegar a alcanzar cimas muy altas, una unión que trascienda su naturaleza personal.

PISCIS – ACUARIO

Se trata de una relación insólita a propósito de la cual es difícil emitir un pronóstico. Piscis y Acuario pueden encontrarse en el universo de la hipótesis, de lo ideal, pero inevitablemente se sentirán decepcionados si intentan trasladar este encuentro al dominio de la realidad. Piscis, inquieto por naturaleza, siente horror por la rutina y busca un compañero capaz de compartir su sed por lo absoluto; a primera vista, Acuario parece ser la persona adecuada para ayudarle a liberarse de las mezquindades de la vida cotidiana. Y Acuario acepta, seducido por la magia de Piscis, la cual le hace presentir una experiencia ciertamente fantástica. Pero la fantasía, patrimonio común a ambos nativos, alimenta un malentendido al mismo tiempo maravilloso y nocivo que, al inicio del amor, los transporta a un mundo encantado en el que se aman de manera etérea y delicada; no obstante, tarde o temprano despiertan del sueño y es probable que Acuario lo haga primero. La amorosa devoción de Piscis comienza a irritarle, por no hablar de sus incomprensibles cambios de humor; detesta cordialmente sus efusiones sentimentales, pero cuanto más evita las asfixiantes caricias de su compañero, más sufre y lloriquea este último. Porque, en efecto, es Piscis quien más padece la situación, en la medida en que había creído entrever en Acuario una criatura angelical y descubre en él una persona fría, insensible a su fragilidad e indiferente a sus peticiones de ayuda. El acuerdo no es de los mejores en el terreno sexual: Acuario es un experimentador sin complejos, pero carece totalmente de la sinuosa voluptuosidad que caracteriza la sensualidad de Piscis, y rechaza radicalmente perderse en el laberinto de las emociones. Para que la relación tenga lugar es imprescindible la presencia de planetas en los signos más favorables.

PISCIS – PISCIS

Dos almas que se parecen demasiado pueden ignorarse, y es lo que pasa a menudo entre dos nativos de Piscis, porque no experimentan una gran curiosidad recíproca, ya que conocen de antemano todos los secretos del otro. Quizás es preferible que sea así, porque en caso contrario ambos se adentrarían en una relación ciertamente intensa y profunda, pero muy inestable y que podría finalizar en un desastroso naufragio.

La compasión es el resorte que podría incitarlos a superar su inicial falta de interés, porque si uno de ellos sufre una crisis profunda, el otro asumirá el papel de «bote salvavidas» y ambos pasarán con gusto de los sentimientos de simpatía y solidaridad a la ternura, y después a los mimos, para acabar encontrándose unidos en una apasionada historia de amor. Al principio, el amor los transportaría más allá de las fronteras de la realidad, les haría vibrar con las emociones celestes del corazón y los aturdiría con placeres sensuales.

No obstante, ambos son criaturas inestables y es inevitable que, tarde o temprano, uno u otro se hunda de nuevo en la angustia y arrastre a su compañero al mismo estado emocional; su comunión es tal que se encuentran para fundirse tanto en el placer como en el dolor, pero corren el riesgo de ahogarse juntos sin llegar a encontrar la salida si se enfrentan a problemas serios. Para que la relación supere este escollo, es indispensable que al menos uno de los dos no sea un nativo «puro» y que su carácter firme pueda servir de apoyo al otro. Si la relación no cuaja, comienza una lluvia de quejas y recriminaciones, y la traición, único consuelo en la desdicha, se transforma en una amenaza cada vez más tangible.

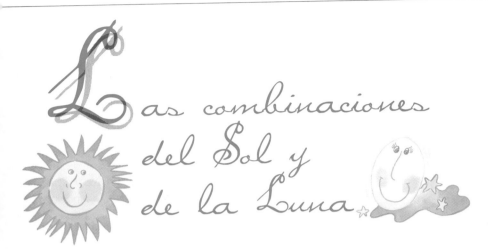

Las combinaciones del Sol y de la Luna

Sol en Piscis – Luna en Aries

En esta configuración, la imaginación y la creatividad son muy agudas, pero hay carencia de raciocinio y de fuerza de voluntad. El carácter es cambiante, y alterna bruscamente los momentos de dulzura e irritación, de viva simpatía y de fuerte antipatía. En el terreno sentimental, estas personas muestran una gran ternura, una emotividad muy entusiasta; estos sentimientos son especialmente impetuosos en ella, que es al mismo tiempo combativa y dulce. Él busca a una mujer enérgica que lo estimule y que llegue incluso a dominarlo un poco.

Sol en Piscis – Luna en Tauro

La inestabilidad de Piscis encuentra un apoyo sólido en esta Luna que inspira pragmatismo y una buena serenidad interior. Tranquilos, afectuosos y hedonistas convencidos, estos individuos conceden gran importancia a las alegrías sencillas y a los placeres en general. Los sentimientos también se valoran y se viven con intensidad e implicando a los sentidos. Extremadamente fascinante, ella es dulce, maternal y protectora. Él proyecta estas cualidades en la mujer ideal, que debe transmitir seguridad, y ser sólida y sensual.

Sol en Piscis – Luna en Géminis

Tienen un carácter muy inestable, fantasioso y caprichoso. Son personas inquietas que pasan de un papel a otro, de un sueño a otro sin llegar a decidirse por ninguno; siempre en busca de novedades, afrontan la vida como un juego sin fin, en el que todo es posible y nada es definitivo. En el amor son inconstantes, seductores pero infieles; saben adaptarse a su compañero, pero se muestran reticentes cuando tienen que asumir responsabilidades precisas. Tanto él como ella necesitan compañeros indulgentes y de mentalidad abierta.

Sol en Piscis – Luna en Cáncer

El sentimentalismo predomina en estas personas, sensibles hasta la vulnerabilidad y desprovistas de sentido práctico, pero dotadas de una intuición y de una imaginación creativa ilimitadas. Son individuos altruistas pero lunáticos, a los que no siempre resulta fácil comprender; son poco agresivos y se defienden de manera pasiva cuando se sienten amenazados. Ella es una sentimental, una tierna soñadora, un poco maternal y un poco infantil a la vez, que ofrece o pide protección. Él busca a una mujer comprensiva y dulce que le dé mucho afecto.

Sol en Piscis – Luna en Leo

Esta Luna de Fuego infunde vitalidad y deseos de sobresalir, confiere estabilidad y orgullo al temperamento, pero otorga grandeza a los sueños de Piscis, sin tener el suficiente sentido práctico para realizarlos. Se trata de personas de alma noble e impulsos generosos, pero excesivamente sensibles a la aprobación de los demás. En el amor, tienen sentimientos absolutos, calurosos y apasionados. Él se siente atraído por mujeres fuertes, quizás algo autoritarias. Ella busca la devoción admirativa de un hombre ambicioso pero romántico.

Sol en Piscis – Luna en Virgo

El Sol y la Luna en signos opuestos crean un carácter en equilibrio entre la emotividad y el raciocinio, entre el instinto que impulsa a seguir el flujo de la vida y la necesidad de cortar con la realidad para sentirse seguro. De naturaleza tranquila, prudente y lógica pero también ansiosa, estos nativos tienen un temperamento inestable e inseguro, que influye en su visión del amor. Ella, controlada y modesta, no consigue ser espontánea y necesita un compañero que funda sus reticencias. Él precisa a una mujer pragmática que no sea demasiado cerebral.

Sol en Piscis – Luna en Libra

Tienen un temperamento sumiso y flexible, y tienden a una fusión armoniosa con el prójimo, incluso con todo el universo entero. Poseen un intenso deseo de complacer que se acompaña con un don innato para la comunicación, aunque son algo distantes y se implican poco sentimental o pasionalmente en la intimidad. Su amabilidad les incita a evitar las situaciones violentas o conflictivas. Ella es dulce y está amablemente dispuesta a adaptarse a los deseos de su compañero. Él se siente atraído por mujeres agradables, románticas y delicadas.

Sol en Piscis – Luna en Escorpio

Son personas que forman parte de sus emociones y viven inmersos en el universo líquido de sus instintos, que les impulsan en direcciones opuestas; el altruismo y la avidez, la afabilidad y la agresividad conviven en ellos. Esto da lugar a un carácter contradictorio, a menudo sin reglas, inclinado a los excesos de la pasión y a los tormentos existenciales y amorosos. Son nativos dotados de un gran encanto. Él se siente atraído por un tipo de mujer capaz de conmoverle en el plano erótico, pero con una dulzura oculta. Ella es seductora, romántica y muy sensual.

Sol en Piscis – Luna en Sagitario

Tienen un temperamento entusiasta, generoso, efusivo, dotado de una gran calidez humana y movido por sinceros impulsos humanitarios. Sus horizontes son amplios, por no decir infinitos, y su deseo de compartir es intenso. Tienen una buena intuición, aunque una cándida ingenuidad puede lanzarlos en brazos de explotadores, con la consiguiente desilusión. En el amor, son idealistas e inspirados por nobles sentimientos, que buscan lo mismo en sus compañeros. Él necesita a una mujer activa y espontánea. Ella desea encontrar un hombre extrovertido y afectuoso.

Sol en Piscis – Luna en Capricornio

En esta combinación, la ligereza de Piscis adquiere consistencia y mejora la voluntad, controlando el desordenado flujo de la emotividad. Se concede más importancia a los objetivos prácticos y a la ambición, que puede tomar un camino material o evolucionar en un sentido espiritual. Estos nativos son moralistas y reservados en el amor y no abren su corazón más que a personas que saben con seguridad que no van a herirlos. Él busca una compañera fiel que sea un apoyo sólido. Ella necesita a un hombre que comprenda su sensibilidad oculta.

Sol en Piscis – Luna en Acuario

He aquí una combinación dotada de enormes cualidades creadoras y de imaginación, pero carente de realismo. Son personas que albergan grandes utopías y una fantasía desbocada, pero que se consagran con entusiasmo a la causa elegida manteniendo una distancia razonable con las situaciones que experimentan. Sentimentalmente, no se obsesionan con amores imposibles, pero tienen algunas dificultades para encontrar a la pareja ideal, que ha de ser al mismo tiempo independiente y tierna, sensible pero extravagante, y no debe dejarse dominar nunca.

Sol y Luna en Piscis

Es una combinación que exalta el romanticismo, la sensibilidad y la intuición. El carácter es flexible, maleable, a menudo ansioso e inestable, y necesita apoyos sólidos. Son personas de alma muy bondadosa, pero en las que el altruismo se transforma a menudo en autoindulgencia. Se puede observar una gran confusión interior o una fe luminosa. Viven el amor como un sentimiento absoluto, que puede atormentarlos o llevarlos al éxtasis; se entregan totalmente, con gran devoción, y buscan un compañero sensible y tierno, con el que se fundirán en una unión total.

CÓMO DETERMINAR LA POSICIÓN DE LA LUNA

A diferencia del Sol, que atraviesa el signo en unos treinta días, la Luna se mueve con más rapidez a lo largo de la rueda del zodiaco y cambia de signo más o menos cada diez días y medio. Si no se dispone de las efemérides (las tablas que ofrecen la posición diaria de todos los planetas), es imposible saber en qué signo se encontraba, en el momento del nacimiento, este astro esencial que permite definir la personalidad de cada individuo como complemento de su signo solar. El sencillo método que se explica a continuación ayuda a determinar la posición de la Luna en una fecha determinada. En la tabla A (número correspondiente al mes) debe buscarse el número que corresponde al mes de nacimiento; en la tabla B (número del año), la cifra correspondiente al año de naci-

miento. A la suma de estos dos números se le añadirá la cifra del día de nacimiento. A continuación ha de trasladarse el resultado a la tabla C (posición de la Luna) para saber en qué signo se encontraba la Luna en la fecha que nos interesa.

Veamos un ejemplo:
El nacimiento tuvo lugar el 7 de abril de 1959.

El número del mes de abril es 8,1, y el del año 1959 es 13,2.
De este modo:
$$8,1 + 13,2 = 21,3$$
Añadamos a este resultado el día de nacimiento:
$$21,3 + 7 = 28,3$$

En la tabla C encontramos que la Luna estaba en el signo de Aries.

¡Atención!
Si el nacimiento tuvo lugar en enero o febrero de un año bisiesto (subrayados en la tabla B), es necesario restar un punto al resultado final. En la tabla C, la posición de los signos se calcula en función de la posición media de la Luna a mediodía; si el nacimiento ha tenido lugar cerca de la medianoche, convendrá añadir medio punto para obtener un resultado más preciso (1 punto = 1 día). Cuando el resultado se sitúe entre dos signos, se puede decidir que el signo lunar es el inmediatamente posterior.

TABLA A:
CORRESPONDENCIA MES-NÚMERO

enero	febrero	marzo	abril	mayo	junio
0,0	3,7	4,4	8,1	10,8	14,4

julio	agosto	septiembre	octubre	noviembre	diciembre
17,1	20,8	24,5	27,2	30,8	33,5

TABLA B:
CORRESPONDENCIA AÑO-NÚMERO

1901	3,4	1921	13,6	1941	23,7	1961	6,5	1981	16,7
1902	13,2	1922	23,4	1942	6,2	1962	16,3	1982	26,5
1903	23,1	1923	5,9	1943	16,0	1963	26,2	1983	9,0
1904	6,6	1924	16,7	1944	26,8	1964	9,6	1984	19,8
1905	16,4	1925	26,5	1945	9,3	1965	19,5	1985	2,3
1906	26,2	1926	9,0	1946	19,2	1966	2,0	1986	12,1
1907	8,7	1927	18,8	1947	1,6	1967	11,8	1987	21,9
1908	19,5	1928	2,3	1948	12,5	1968	22,6	1988	5,4
1909	2,0	1929	12,2	1949	22,3	1969	5,1	1989	15,2
1910	11,8	1930	22,0	1950	4,8	1970	14,9	1990	25,1
1911	21,7	1931	4,5	1951	14,6	1971	24,7	1991	7,6
1912	5,1	1932	15,3	1952	25,5	1972	8,2	1992	18,4
1913	15,0	1933	25,1	1953	7,9	1973	18,1	1993	0,9
1914	24,8	1934	7,6	1954	17,7	1974	0,6	1994	10,7
1915	7,3	1935	17,4	1955	0,2	1975	10,4	1995	20,5
1916	18,1	1936	28,2	1956	11,1	1976	22,2	1996	4,0
1917	0,6	1937	10,7	1957	20,9	1977	3,7	1997	13,8
1918	10,4	1938	20,6	1958	3,4	1978	13,5	1998	23,7
1919	20,2	1939	3,1	1959	13,2	1979	23,3	1999	6,1
1920	3,7	1940	13,9	1960	24,0	1980	6,8	2000	17,0

TABLA C:
CORRESPONDENCIA ENTRE LOS VALORES
NUMÉRICOS Y LA POSICIÓN DE LA LUNA

de	a	signo lunar	de	a	signo lunar
0,00	2,77	Aries	41,48	43,75	Libra
2,78	5,04	Tauro	43,76	46,03	Escorpio
5,05	7,32	Géminis	46,04	48,30	Sagitario
7,33	9,60	Cáncer	48,31	50,58	Capricornio
9,61	11,87	Leo	50,59	52,86	Acuario
11,88	14,15	Virgo	52,87	55,13	Piscis
14,16	16,43	Libra	55,14	57,41	Aries
16,44	18,70	Escorpio	57,42	59,69	Tauro
18,71	20,98	Sagitario	59,70	61,96	Géminis
20,99	23,26	Capricornio	61,97	64,24	Cáncer
23,27	25,53	Acuario	64,25	66,52	Leo
25,54	27,81	Piscis	66,53	68,79	Virgo
27,82	30,09	Aries	68,80	71,07	Libra
30,10	32,37	Tauro	71,08	73,35	Escorpio
32,38	34,64	Géminis	73,36	75,62	Sagitario
34,65	36,92	Cáncer	75,63	77,90	Capricornio
36,93	39,20	Leo	77,91	80,18	Acuario
39,21	41,47	Virgo	80,19	82,96	Piscis

(Tablas gentilmente cedidas por Dante Valente)

Impreso en España por
LIMPERGRAF, S.L.
Mogoda, 29-31
Poligon Can Salvatella
08210 Barberà del Vallés